# 프랑스 시어머니와
# 베프로 지냅니다

요용

방콕 글로벌 기업에 근무하던 시절에 만난 무뚝뚝한 프랑스인 남편을 따라 나이 마흔에 그의 고향이자 시부모님이 계시는 낭시로 이주했다. 유쾌한 시어머니 덕분에 낯설기만 하던 프랑스어와 프랑스 문화를 재미있게 습득해 가는 중이다. 티스토리 블로그 «낭시댁의 마비앙호즈»를 통해 수년째 일상을 공유하고 있다.

따스하고 유쾌한 시집살이 에세이

| CONTENT |

## Ⅰ. 새로운 가족 8

## II. 프랑스 시어머니의 시집살이 58

## III. 둥지를 나왔지만 여전히 혼자는 아니다 124

# Ⅰ. 새로운 가족

# 프랑스 시부모님과의 첫 만남

## 프랑스 낭시 첫 방문기

2015년 9월

'나를 별로 안 좋아하시면 어쩌지?'

당시 남자 친구였던 지금의 남편, 자서방을 따라 난생처음 프랑스 낭시에 있는 그의 부모님 댁으로 가는 여정 내내 나는 이 걱정을 했다. 그가 자기 고향 집에서 부모님과 함께 2주간의 휴가를 보내자고 처음 말했을 때, 나는 딱 한 번 가보았던 파리의 낭만적인 거리를 떠올리며 흔쾌히 고개를 끄덕였을 뿐이었다. 그런데 막상 출발일이 되어 비행기에 오르자 슬슬 불안한 마음이 들었다. 결혼은커녕 약혼조차 하지 않은 상황에서 내 아들이 여자 친구를 (그것도 외국인을) 집에 데려와 2주간 (그것도 한방에서) 지내겠다고 한다면, 어느 부모님이 두 팔 벌려 환영할 것인가? 적어도 한국인 기준으로 나는 그렇게 생각했다.

"걱정하지 마. 우리 부모님 굉장히 좋은 분들이셔. 그리고 네 말대로 우린 아직 장래를 약속한 사이가 아니기 때문에 더더욱 부담 가질 필요가 없잖아? 그저 편안한 마음으로 성공적인 휴가를 보내기만 하면 되는 거야. 난 내가 세상에서 가장 사랑하는 세 사람과 2주 동안 함께 지낸다는 사실만으로도 너무 행복해. 우린 우리 엄마의 맛있는 요리를 실컷 먹게 될 거고, 맛있는 와인도 매일 마시게 될 거야."

그는 벌써부터 들떠 있었다.

우리가 룩셈부르크 공항에 도착했을 때 우리를 위해 마중 나와 계시던 시부모님과 난생처음으로 만났다.

시아버지는 흰머리와 흰 수염을 가진 인자한 인상이셨고, 시어머니는 처음 보는 나를 마치 오랜만에 만난 조카라도 반기시듯 친근하게 맞아주시며 여행이 편안했는지를 영어로 물어오셨다. 두 분과 차례로 볼 키스를 나누면서 나는 생각했다. 이거 참 좋은 거구나… 처음 만난 사람들과 살을 맞대고 이토록 친밀하게 인사를 나누는 것 말이다. 이미 두 분과 가까워진 느낌이었다.

시아버지께서는 한 팔과 한 다리에 장애를 갖고 계셨는데 룩셈부르크에서 낭시까지 거침없이 운전하시는 모습이 인상적이었다.

자정 무렵이 되어서야 집에 도착했는데 피곤한 몸으로 대문을 지나 현관에 들어서는 순간 낯설면서도 어쩐지 아늑한 기운이 온몸을 감싸오던 느낌을 지금도 생생하게 기억한다. 빼꼼히 나를 바라보던 두 마리의 고양이들도 내 긴장을 한층 풀어주었다.

"자, 피곤하겠지만 부엌 먼저 보여 줄게요. 내일 혹시라도 일찍 일어나게 된다면 여기 냉장고에 있는 거 뭐든 편하게 꺼내 먹도록 해요. 뭘 좋아하는지 몰라서 골고루 채워놨어요. 휴가 온 거니까 이곳에서 지내는 동안 내 집처럼 편하게 지냈으면 좋겠어요."

내가 휴가로 머무는 2주 동안 시어머니께서는 무심한 듯 세심하게 챙겨주셨다. 내가 청소라도 할라치면 이 집은 아무도 청소를 안 하는 집이라고 농담하시며 청소기조차 못 들게 하셨고 매일매일 맛있는 요리를 해 주셨다. 내가 가리비를 좋아한다는 말을 들으셨을 때는 비싼 가리비 관자를 잔뜩 사 오셔서 며칠 동안 다양한 방법으로 요리해 주시며 내 눈과 입을 행복하게 해 주셨다. 내 이름이 어려우셨던 어머님께서는 나를 《요용》이라고 부르셨는데 얼마 후 내 이름을 정확하게 발음할 수 있게 되신 후에도 《요용》은 내 애칭처럼 남게 되었다.

시아버지께서는 비록 나와 직접적으로는 대화가 통하지는 않으셨지만 내가 캐슬을 보고 싶다고 했을 때 콜마르에 있는 오쾨니스부르성에 데려가 주셨다. 산꼭대기에 있는 커다란 성이었는데 불편하신 몸으로 지하부터 꼭대기까지 앞장서서 안내해 주셨다. 피곤하셨을 텐데 바로 다음 날 또 다른 캐슬을 보여주려고 고민하셔서 온 식구들을 놀라게 하셨다. 아침에 바게트를 사러 가실 때는 나를 위해 작은 케이크를 사다 주기도 하셨다.

남편은 나와의 첫 낭시 방문을 떠올리며 이렇게 말하곤 한다.

"우리가 함께 스타니슬라스 광장에 처음 갔을 때 기억나? 우리 엄마가 너랑 사진 찍으실 때 갑자기 네 볼에 입맞춤하시는 모습을 보고 나 정말 깜짝 놀랐잖아. 우리 부모님 두 분 다 그렇게 애정 표현을 잘 하시는 분들이 아니시거든. 단순히 내가 사랑하는 여자라서 그런 정도가 아니셨어. 널 처음부터 사랑하신 거야."

2주 동안 나는 남자 친구의 부모님으로부터 사랑을 듬뿍 받았고 무엇보다 이렇게 멋진 부모님 밑에서 자라온 이 남자가 다르게 보이기 시작했다. 어쩌면 이 남자와 결혼해도 좋겠다는 생각마저 들기 시작했다. 이 멋진 두 분과 가족이 된다면 정말 행복할 것 같았다. 우리의 약혼 소식을 시부모님께 알렸을 때 그분들은 남편에게 이렇게 말씀하셨다고 한다.

"우리는 이렇게 될 줄 알았단다. 처음에는 그저 네가 난생처음으로 여자를 데려온다고 해서 놀랐지만, 막상 둘이 함께 있는 걸 보니 넌 그녀를 진심으로 사랑하고 있더구나. 네가 누군가를 그런 눈빛으로 바라보는 걸 본 적이 없었거든."

## 부끄러워하던 남편이 하루아침에 변했다.

진정한 가족이 되기 위해 열심히 노력하는 남편

연애 초 우리 자서방은 언제나 품위가 넘쳤고 흐트러진 모습을 보이지 않는 남자였다. 오죽하면 내가 남편에게 'Mr. 퍼펙트'라는 별명까지 붙여주었을까.

물론 가끔은 그도 사람인지라 실수를 하긴 했다. 내 앞에서 심하게 웃다가 처음으로 방귀를 뀐 적이 있었는데, 귀까지 빨개져서는 절대 방귀 소리가 아니라고 발뺌했고 내가 아무리 놀려도 안 들리는 척을 했다.

그런 자서방을 데리고 처음으로 한국에 가서 가족들에게 인사를 시키게 되었을 때 나는 걱정이 이만저만이 아니었다. 우리 집은 사실 누가 들으면 욕할지 몰라도 남녀노소 안 가리고 생리현상에 있어 서로 관대하기 때문이다.

식구들에게 내가 미리 당부했던 덕분인지 고맙게도 가족들은 자서방과의 첫 만남에서 훌륭하게 협조해 주었다. 하지만 자서방을 두 번째 만날 때부터는 식구들의 긴장이 서서히 풀리기 시작했다.

아빠가 처음으로 실수인지 뭔지 모를 애매한 방귀 소리를 내셨을 때 우리 식구들은 누가 먼저랄 것도 없이 자서방의 얼굴을 흘끔거리며 살피기 바빴다. 다행히 편안하게 받아들이는 얼굴인 듯하여 안심했고 나머지 식구들도 그때부터 트림은 편하게 하기 시작했다.

그런데 방콕으로 돌아온 후부터 자서방이 변하기 시작했다. 예전의 품위는 다 밥 말아 먹었는지 시도 때도 없이 방귀를 남발하고 트림을 하기 시작한 것이다. 저 멀리 있다가도 신호(?)가 올라치면 나에게 쪼르르 달려와서 돌아서서 쏘고 가기도 한다. 그러고는 혼자 좋다고 깔깔거리며 웃는다. 그러면 나도 좋다고 웃는다. 자서방이 방귀를 뀔 때마다 내가 웃었더니 나중에는 내가 우울해 보일 때마다 웃겨준다며 억지로 방귀를 뀌기도 했다.

어느 날 내가 물었다. 그 품위 넘치고 부끄러워하던 내 남자는 어디로 갔는지, 대체 무슨 일이 있었던 거냐고 말이다. 그때 그의 대답을 잊을 수가 없다.

"나 이제 너희 가족의 진정한 일원이 되기 위해 연습하는 거야. 아직 트림은 좀 부족해."

나중에 우리 집 식구들에게 이 말을 들려주었더니 다들 매우 기뻐했다. 우리 사위가 좋은 걸 배워갔구나! 하는 느낌이랄까. 그래도 우리 아빠를 따라가려면 멀었느니라…

## 프랑스인 시부모님, 한국 비데에 반하다.

이건 사야 해!

2016년 6월

시부모님께서 우리의 스몰 웨딩을 위해 처음으로 일주일간 한국에 방문하셨다.

당시 방콕에서 거주하고 있던 우리 부부는 시부모님보다 하루 늦게 서울에 도착했는데 이 때문에 나는 내심 죄송하기도 하고 시부모님이 걱정되기도 했다. 하지만 다음날 서울에서 만난 시부모님은 더 없이 행복한 모습이었다.

"우리는 한국이 너무 좋다! 사실 밖에는 안 나가고 호텔에만 있었지만 아주 행복했단다. 특히 화장실에서 나가고 싶지 않았어. 환상적이야! 오오…!"

영문을 몰라 갸우뚱하고 있는 우리 부부에게 시아버지께서 귀띔해 주셨다.

"비데 얘기하는 거란다."

"우리는 서울 관광 안 해도 돼. 호텔에만 있어도 좋아! 우리는 서로 화장실을 더 오래 쓰려고 경쟁하고 있단다. 호호"

시부모님께서는 서울에 머무시는 일주일 내내 입이 닳도록 비데 얘기를 하셨다.

"프랑스에는 비데 없어?"

내 질문에 자서방은 이렇게 대답했다.

"비데라는 단어가 어느 나라 말이라고 생각한 거야?"

"아, 프랑스어였어? 난 몰랐네."

자서방 말대로 비데는 프랑스에서 유래된 것이 맞긴 하지만 그 형태는 우리의 것과 전혀 다르다. 시댁에 처음 방문했을 때 변기 옆에 또 다른 작은 변기(?)가 설치돼 있어서 저건 무슨 용도일지 하고 궁금해했었는데 알고 보니 그게 바로 프랑스식 비데였단다. 참고로 시댁에는 자서방이 설치해 드린 태국식 비데도 있는데 이건 변기 옆에 걸린 기다란 호스 형태의 수동식 비데이다.

아무튼 프랑스 비데와 태국식 비데만 사용해 보신 시부모님께 한국식 비데는 신세계였나보다.

"한번 앉으면 일어서기가 싫어진다니까!"

어머님의 찬사에 내가 몇 번이나 웃었는지 모른다.

하루는 주방 기구를 보고 싶어 하시는 어머님을 위해 다 함께 호텔 근처에 있는 한 백화점에 들르게 되었다. 그런데 그곳에서 운명처럼 호텔과 똑같은 비데를 발견하게 되었다! 일부러 찾아본 것도 아닌데 신기하게 우리 눈앞에 딱 나타났고 시어머니께서는 곧장 직진하시며 말씀하셨다.

"이건 사야 해!"

난 그냥 농담하시는 거로 생각했는데 요리조리 비데를 살펴보시던 어머님께서 "이거 사요."라는 한마디와 함께 신용카드를 아버님께 건네시곤 주방용품 코너를 향해 혼자 쿨하게 사라지셨다. 아버님께서 "이거 하나 주시오."라고 점원께 말씀하셨는데 사실 우리보다 더 놀란 사람은 바로 비데 가게 점원이었다. 사는 사람보다 파는 사람이 더 망설이는 재미난 상황이 벌어졌다.

"설명서도 한국어랑 중국어뿐이고요… 버튼도 다 한국어뿐인데요?"

"진짜로 사시겠대요? 정말 괜찮을까요?"

당황한 표정의 직원은 나에게 통역을 부탁하며 정말로 괜찮은 건지 거듭 확인했다. 급기야 중국어와 한국어로 된 설치설명서까지 펼쳐서 보여주었으나, 아버님께서는 대충 그림만 훑어보시고 오케이 하셨고, 기척도 없이 어느새 돌아오신 어머님께서는 손가락으로 한글 버튼을 하나하나 짚어가며 귀신같이 읽어내셨다(호텔에서 매일 사용하시면서 버튼 위치를 외우신 것이다).

결국 그렇게 시부모님께서는 내 사랑 비데를 획득해서 프랑스로 돌아가셨다.

얼마 후 아버님께서는 비데 설치를 완료하셨다며 사진까지 보내주셨다. 그리고 지금까지도 애지중지하시며 잘 사용하고 계시다.

# 하루에 딱 하나씩. 누구든 예외는 없다.

시어머니의 약과 사랑

**프랑스인 시어머니, 약과를 만나다.**

일주일간 한국에 머무시는 동안 시어머니께서 비데만큼이나 좋아하셨던 것이 또 한 가지 있었으니, 그것은 바로 약과였다.

인사동 찻집에서 서비스로 나온 미니 약과를 무심코 집어 드시고는 눈이 휘둥그레지던 시어머니의 표정을 잊을 수가 없다. 그 후 시어머니께서는 슈퍼에서 있는 데로 약과를 쓸어 담으셨고 그것도 부족하셨던지 공항 면세점에서도 여러 상자 사 가셨다.

**약과와 크리스마스**

그해 겨울, 크리스마스를 보내기 위해 낭시에 갈 때 나는 시어머니의 부탁으로 약과를 3kg이나 사 갔다.

"아껴먹을 거다. 그러니 누구든지 약과는 하루에 딱 하나씩만 먹을 수 있어."

"이렇게나 많은데요?"

"하루에 딱 하나야. 너도 예외는 없어."

당시 시댁에는 프랑스 최대 명절인 크리스마스를 위해 총 12명의 가족이 모여있었다.

오후에 티타임을 가질 때마다 시어머니께서는 약과를 옮겨 담은 조그만 상자를 꺼내 오셨다. 그러고는 "**누구든 하루에 딱 하나**"라고 강조하셨다.

하나를 먹으면 하나 더 먹고 싶어지는 게 바로 미니 약과가 아니던가.

더 먹고 싶은 사람을 위해 누군가가 본인의 권리를 타인에게 양도하는 것조차 어머님께서는 인정해 주지 않으셨다. 그러다 보니 안 먹고 싶던 사람까지도 약과가 나오면 꼭꼭 챙겨 먹는 분위기가 형성되었다.

**베르나르 아저씨 약과를 만나다.**

크리스마스가 지나고, 어느 날 오후에 시아버지의 절친이신 베르나르 아저씨께서 예고 없이 놀러 오셨다. 아저씨는 언제나 목소리가 크고 활기찬 분이시다. 며칠째 감기 때문에 고생 중이라고 하시면서도 나에게 볼 인사를 하기 위해 반가운 얼굴로 성큼성큼 다가오셨고 시어머니께서는 "안 돼 안 돼!"소리치며 그 앞을 가로막으셨다. 며느리가 감기를 옮을까 봐 걱정되신 것이다.

아저씨는 아버님과 커피를 드시며 담소를 나누시다가 한참 후에 떠나셨는데 어머님께서는 이렇게 말씀하셨다.

"내가 약과는 누구든지 하루에 딱 하나라고 몇 번이나 말했는데도 저 양반은 듣지를 않아. 더 달라고 할 때마다 딱 한 개만 꺼내 주고 보란 듯이 약과 상자를 치워버렸는데, 그걸 먹고 나서 손을 자꾸자꾸 내밀더라니까? 결국 네 개나 먹고 갔지, 뭐니!"

워낙 허물없이 지내는 사이인 걸 잘 아는 나는 상황이 너무 재미있어서 한참을 웃었다. 그렇게 좋아하시는데 맘껏 드시도록 상자째 내드리지 그러셨냐니까 시어머니께서는 눈을 동그랗게 뜨고 말씀하셨다.

"하루에 딱 하나! 누구든 예외는 없다!"

## 몸살 나신 시어머니와 장미 꽃다발

나의 롤 모델이 되신 시어머니

우리 부부는 매년 휴가 때마다 프랑스 시댁에 방문했다.

시어머니께서 몸살에 걸리셔서 며칠 동안 고생하고 계실 때의 일이다.

"미슈가 파리에서 병균을 달고 와서 나만 고생이네. 너희한테는 옮기면 안 되는데…"

'미슈'는 우리 시아버지를 부르시는 어머님만의 애칭이다. 아버님께서는 며칠 전 파리에 출장을 다녀오시면서 감기에 걸리셨는데 지금은 거의 회복되셨다. 대신 시어머니의 몸살은 더 심해지고 있었다.

시어머니께서 오후 낮잠을 주무시는 사이 아버님께서는 어머님이 좋아하시는 맥주를 사러 마트에 간다고 하셨고 마침 살 것들이 있었던 우리 부부도 아버님을 따라나섰다.

아버님께서는 맥주뿐만 아니라 플레인 요거트와 과일 등등 어머님께서 좋아하시는 것들로 장바구니를 가득 채우셨다.

한편, 자서방은 마트에 들어서자마자 꽃 파는 곳을 향해 곧장 걸어갔는데 장미꽃 두 다발을 바구니에 담으며 이렇게 말했다.

"엄마가 꽃을 좋아하시거든."

순간 시어머니께서 언젠가 나에게 웃으며 말씀하신 것이 떠올랐다.

"나는 고양이를 입양할 때도 무조건 수컷으로만 데려온단다. 왜냐면 이 집에 여자는 나 하나여야 하니까. 난 이 집의 여왕이야."

(며느리는 가끔 오는 거라 괜찮다고 하셨다.)

어머님은 여왕이 맞으신 듯하다. 이렇게 두 남자의 사랑을 받고 계시니. 나의 롤 모델 시어머니, 고양이는 수컷… 메모 완료.

집에 돌아오자마자 나는 소파에 누워계신 시어머니께 장미 꽃다발을 내밀었다. 자서방이 산 거라고 말씀드렸더니 시어머니께서는 벌떡 일어나 꽃향기를 맡으시며 화사하게 웃으셨다.

그런데 그날 저녁 식사 도중 시어머니께서 갑자기 나에게 이렇게 말씀하셨다.

"고맙다 우리 며느리."

"네?"

"꽃 말이다."

영문을 몰라 멀뚱거리고 있던 나에게 자서방이 말했다.

"네가 사자고 한 거잖아 엄마 드린다고. 난 계산만 했을 뿐."

이 무뚝뚝한 남자의 지혜로 나는 더 사랑받는 며느리가 되었다.

## 시어머니의 비법 카레

그리고 비법 재료

저녁 식사를 준비해야 하는데 시어머니의 기침이 더 심해졌다. 모두의 안전을 위해(?), 오늘은 내가 요리하겠다고 말씀드렸지만, 어머님께서는 꼭 나에게 직접 만들어 주고 싶은 요리가 있다고 하시며 고집을 부리셨다. 알고 보니 태국에서 사 오신 강황 가루에 닭고기를 벌써 절여 놓으셨던 것이었다.

시어머니의 기침 소리와 함께 카레는 맛있는 냄새를 풍기며 익어갔다. 닭고기가 타지 않도록 열심히 냄비를 저으며 나는 곁에서 내 사진을 찍고 있던 자서방에게 말했다.

"냄새가 너무 좋다. 태국 마사만 카레 냄새랑 비슷한 것도 같고 슈퍼에서 파는 카레보다 훨씬 건강한 냄새가 나."

"우리 엄마는 항상 이렇게 강황 가루로 카레를 직접 만드셔. 차원이 다르지."

저쪽에서 코코넛 밀크를 꺼내며 우리 대화를 듣고 계시던 시어머니께서 뿌듯한 표정으로 말씀하셨다.

"내가 말이지, 인도, 베트남, 태국 현지 요리 교실에서 다양한 요리를 배워왔고 또 요즘에는 새로운 선생님께 다시 요리를 배우는 중이란다."

선생님? 의아한 표정으로 자서방을 쳐다봤더니 그는 이렇게 속삭였다.

'유튜브'

아…

"신기한 향신료들이 많이 들어갔네요. 이건 시나몬이죠? 그런데 이건 뭐예요?"

자서방이 내 곁으로 다가오더니 끓고 있는 냄비를 보며, 바쁜 시어머니를 대신해서 대답을 해 주었다.

"여기에 뭐가 들어갔는지는 내가 알려줄게. 우선 치킨이 들어갔고, 강황 가루랑 아니스, 레몬그라스, 시나몬… 그리고 인플루엔자가 들어갔지."

"와하하하하!!"

자서방이랑 둘이 배꼽을 잡고 부엌이 떠나가라 웃었다. 시어머니께서 다가오시며 무슨 일인지 물으셨다. 자서방이 시어머니께 우리 대화 내용을 말씀드리더니 갑자기 정색하는 얼굴로 나에게 말했다.

"넌 우리 엄마 아픈 게 그렇게도 좋아? 어떻게 그렇게 웃을 수가 있어?"

너 때문에 웃은거잖아… 그래 내가 더 크게 웃긴 했다.

시어머니께서는 서운하다는 표정을 지으며 과장된 목소리로 나에게 말씀하셨다.

"그래 정말 나쁘다. 요용 넌 오늘 내 카레 먹을 생각하지 말고 밤에 저기 밖에 있는 온실에서 자거라."

나는 죄송하다고 사과드리면서도 계속 웃었다. 역시 자서방은 내 웃음 아킬레스를 잘 안다. 지금 생각해도 웃기다. 인플루엔자라니…

그날 저녁 우리 가족들은 인플루엔자 카레를 모두 맛있게 먹었고 나는 무사히 침실에서 잤다.

## 똥 꿈을 꾸면 복권을 사는 거야

처음엔 웃던 남편이 서서히 믿기 시작하는 눈치다.

프랑스 시댁에서 휴가를 보내고 있을 때 똥 꿈을 꾼 적이 있었다.

아침에 일어나자마자 나는 똥 꿈을 꿨으니, 복권을 사러 가자고 자서방을 보챘다. 마침 어머님께서 장을 보러 가신다기에 우리도 따라 나갔다가 복권 가게에 들렀다.

그런데 복권을 고른 후 내가 지갑을 꺼내고 있을 때 자서방이 그만 복권값을 먼저 지불해 버렸다!

이러면 안 되는데…!

집으로 돌아오는 차 안에서 나는 복권값을 돌려주겠다고 몇 번이나 설득했지만 자서방은 계속 신경 쓰지 말라며 고집부렸다.

"복권값 얼마였어? 응? 제발 알려줘… 그거 내 돈으로 사야 한단 말이야."

"부부 사이에 누가 돈 내는 게 뭐가 중요해?"

"좋을 꿈을 꿨다고… 이거 진짜 당첨되는 꿈이란 말이야…"

"그러니까 더더욱 내가 낼 거야. 당첨되면 너 혼자 다 가지려고 그러지? 욕심쟁이!"

"아니 당첨되면 반반씩 나눌 거야. 진짜 약속!"

"아니 못 믿겠어. 복권값은 이미 내가 치렀고 그건 그렇게 끝난 일이야."

가끔 나는 자서방이 나를 놀리는 맛으로 사는 게 아닐지 싶은 생각이 들 때가 있다.

내 꿈으로 당신이 복권을 사면 아무 효력이 없다고 내가 아무리 설명해도 외국인 남편과 시어머니는 더 웃을 뿐이었다.

길고 긴 실랑이 끝에 나는 결국 10유로짜리 지폐를 자서방 셔츠 주머니에 꽂아 주었다. 복권 가격이 얼마인지는 모르겠지만 그 정도면 되겠지…

"엄마, 얘 좀 보세요! 진짜 복권에 당첨될 것처럼 굴고 있어요."

그러거나 말거나 나는 진지했다.

복권 결과가 나오는 토요일, 우리는 결과를 확인하기 위해 복권 가게를 한 번 더 찾았다. 가게에 있는 기계에 복권을 찍어보니 화면에 25유로 정도의 당첨 금액이 확인되었다!

자서방은 싱글벙글 웃었고 나는 기뻐하는 대신 자서방을 나무랐다.

"내 꿈은 확실히 1등 당첨감이었는데 당신이 자꾸 장난쳐서 효력이 떨어졌잖아."

"사실 그 복권 7유로짜리였는데 와이프한테 10유로를 받았으니까 나는 만족스러워. 와이프도 만족하는 법을 좀 배워야겠다."

…이런 걸로 이른스러운 척하지 마.

"한국에선 꿈속에서 똥이나 돼지를 보면 복권을 사거든. 다음에는 그런 꿈꾸면 그냥 나 혼자 조용히 복권 사서 추첨 때까지 말 안 해줄 거다."

"다음번 꿈에는 꼭 똥 위에 뒹굴어야 해, 알았지? 그게 더 효과가 좋은 거라며."

우리 자서방, 꿈에 의미가 있다는 말에는 눈곱만큼도 동의하진 않지만 그래도 그날 이후부터는 내가 복권을 산다고 하면 또 뭔가 당첨되려나 하는 기대감이 표정에서 조금씩 느껴진다.

# 식전주 포트 와인에 취해서
## 시어머니도 못 알아볼 뻔

프랑스 시댁을 방문할 때마다 힘든 점 중 한 가지는 저녁마다 배가 고프다는 점이다. 시댁에서는 밤 9시가 다 되어서야 저녁 식사를 하는데 나는 오후 5시부터 배가 고프다.

식사 시간은 멀었고 배는 고프고… 뭐 먹을 게 없나 부엌에서 두리번거리다가 시어머니께서 구워 놓으신 브리오슈가 보이길래 한 조각 잘라서 오물거리며 거실로 돌아왔다. 그 모습을 본 시어머니께서 말씀하셨다.

"포트와인! 그거 마셔볼래? 너 분명 그거 좋아할 거다. 내가 가져올 테니 조금만 기다려라!"

뭔지는 몰라도 배가 고프니 일단 알았다고 말씀드렸더니 시어머니께서 지하실로 내려가셨다. 그런데 포트와인이 뭐지?

자서방이 포르투갈 와인이라고 알려주었다.

와인병 하나를 들고 올라오신 시어머니께서 내 잔을 가득 채워 주시며 말씀하셨다.

"내 친구들은 이걸 올드 레이디 와인이라고 부른단다. 나이 든 여자들이 좋아하는 맛이거든. 너도 분명 좋아할 거다."

그 말을 듣고서, 아니나 다를까, 나를 놀리고 싶어 근질거리는 입가를 씰룩이고 있던 자서방을 향해 시어머니께서 말씀하셨다.

"남자는 안 줘."

나를 위해 프레첼도 한 봉지 뜯어서 예쁜 접시에 담아주신 어머님께서는 정작 자서방과 둘이 맥주를 드셨다.

"그런데 웬 포트와인이 있으세요? 혹시 이거 파티마가 준거예요?"

파티마는 포르투갈 출신의 시어머니 직장 동료였는데 가족 모두 친하게 지낸다. 어머님께서는 갑자기 한숨과 함께 허공을 바라보시며 말씀하셨다.

"응, 실은… 그녀의 오빠가 두 달 전에 저세상으로 떠났거든… 안토니오, 와인 고맙다!"

그녀의 오빠 이름이 안토니오였나 보다. 나도 덩달아 허공에 대고 말했다.

"메르시 안토니오…

"맛이 없으면 그거 그냥 버리고 화이트 와인 마셔도 되니까 억지로 다 마실 필요는 없단다."

시어머니의 우려와는 다르게 내 입에 아주 잘 맞았다.

안주를 먹으며 두 잔을 가득 연속으로 비웠더니 갑자기 취기가 확 올라왔다.

"아 졸려…"

내가 소파에 맥없이 널브러지는 모습을 본 자서방이 와인병을 들고 살폈다.

"오, 이거 도수가 19.5도 나 되네. 와이프가 뻗을 만해!"

아… 그랬구나… 달달해서 몰랐네…

빈속에 두 잔을 연거푸 쭉쭉 마셨더니 취기가 점점 더 올라왔다.

"괜찮아, 취해도 돼. 한 잔 더 줄까?"

놀리는 듯한 자서방의 한마디에 시어머니께서도 웃으며 말씀하셨다.

"올드 레이디들이 그래서 좋아하는 거란다. 밤에 이걸 마시면 잠이 잘 오거든."

아… 해롱해롱… 지금은 잘 시간이 아니잖아요…

두 사람이 나를 보며 웃든 말든 나는 기분이 붕 뜬 채로 만사가 다 귀찮아졌다.

그때 시어머니께서 티브이에 소방관들이 나오는 걸 보시고는 나에게 말씀하셨다.

"오 소방관이다! 넌 소방관이랑 결혼하거라! 그들은 정말 좋은 사람들이거든."

"저 결혼했는데요?"

"아, 저런."

이쯤 되면 누가 취한 건지 모르겠다.

시어머니께서는 티브이에 뭔가가 나올 때마다 옆에 고꾸라져 있는 나에게 저거 좀 보라고 소리치셨지만, 나는 눈도 잘 떠지지 않았다.

잠시 후 시동생으로부터 화상 전화가 걸려 와서 시어머니께서 반갑게 받으셨다. 꽤 많이 취해있던 나는 머리로는 생각이 돌아가는데 행동이나 표정으로는 잘 표현이 안 되는 상황이었다. 그 사정을 모르시는 시어머니께서는 폰 화면에 나를 비추셨고 시동생은 나에게 인사를 건네왔다.

나도 마음은 반갑긴 한데…

나는 여전히 소파에 모로 누워서 아무 대답 없이 시댁 고양이 모웬이 자주 짓는 비슷한 표정으로 화면을 빤히 쳐다보고만 있었다.

시어머니께서는 얼른 자서방에게로 화면을 옮기셨다가 마지막에 한 번 더 나에게 시동생과 대화할 기회를 주셨다. 하지만 나는 여전히 모웬에 빙의된 표정만 짓고 있었을 뿐이다.

내가 왜 이러지…

시어머니께서 재 취해서 저런다고 설명해 주실 줄 알았는데 그 말씀을 안 해 주셨다. 자서방마저도…

시동생은 나를 어떻게 생각하려나…

얼마 후 시어머니께서 저녁 준비하시는 소리가 들려왔다. 도와드려야 되는데…

"나 너무 취한 거 같아…"

나를 보고 연거푸 웃던 자서방은 다들 알고 있으니 괜찮다고 했다. 그러던 중 시어머니께서 현관 옆에 있는 유리병들을 수거하시는 소리가 들려왔다. 나는 그거라도 도와드리려고 머리를 흔들며 벌떡 일어나 나갔다. 어머님께서 유리병들을 한 아름 안고 지하실 계단을 조심조심 내려가시는 걸 본 나는 취한 정신에 장난기가 발동했다.

"문 잠가버려야지!! 으헤헤"

지하실 문을 내가 세게 닫아 버린 것이다.

내가 정말 미쳤구나…

재빨리 뉘우치고 문을 다시 열어보니 시어머니께서는 어두운 계단 중간쯤에서 유리병들을 끌어안은 모습 그대로 굳어 계셨다.

"농담이에요… 헤헤…"

다행히 어머님께서는 빙그레 웃으시고는 걸음을 다시 떼셨다.

후회와 부끄러움에 벌겋게 달아오른 얼굴을 한 채로 거실로 돌아와 자서방에게 내가 저지른 만행을 알렸더니 자서방이 깔깔 웃으며 말했다.

"넌 그냥 여기 누워서 자고 있어. 밥 먹을 때 깨워 줄게."

저녁은 또 먹겠다고 자서방이 깨워줄 때 잘도 일어났다. 그나마 한숨 자고 났더니 정신이 좀 돌아왔다는 게 다행이었다.

밥 먹으면서 습관적으로 레드 와인이 담긴 자서방의 잔을 들고 한 모금 마셨더니 온 식구들이 동시에 나를 빤히 바라보았다. 그리고 자서방은 내가 잔을 내려놓았을 때 잔을 저 멀리 치워버렸다.

"넌 오늘 충분히 마셨어. 그리고 포트와인은 이제부터 금지."

고개를 힘차게 끄덕이며 속으로 생각했다.

응 정말 금지… 나도 알고 있어…

그날 밤 잠자리에 들면서 자서방이 말했다.

"아… 난 이 세상에서 내가 원하는 모든 걸 지금 다 가졌어. 술에 취한 와이프까지."

나 오늘 정말 아슬아슬했다.

## 프랑스에서 얼떨결에 한식 수업을…

"맛이 없어도 우리는 맛있다고 할 거니까 부담 없이 하렴."

2017년 8월

우리 부부는 프랑스 시댁에 방문할 때마다 만두를 좋아하시는 시부모님을 위해 냉동 만두피를 여러 개 사 온다.

사실 원조 만두의 달인은 자서방이고, 나에게 만두 만드는 걸 가르쳐 준 사람도 자서방인데 자서방은 자꾸만 시어머니께 내가 만두의 달인이라고 치켜세웠다. 어머님과 내가 함께 만두를 빚는 모습이 그렇게나 보기 좋았던가 보다.

며칠 전 시어머니께서는 나에게 만두를 언제 만들 거냐고 물으셨는데, 만두 빚는 외국인 며느리에 대해 온 동네에 자랑하셨던지 와서 직접 보고 배우고 싶어 하는 친구가 있다고 하셨다.

"우리 이번에는 고기만두뿐 아니라 비건 만두, 그러니까 고기 없는 만두도 같이 만들어 보자. 너 할 줄 알지? 몰라도 괜찮다. 네가 만들면 우리는 무조건 맛있다고 할거거든."

야채만두… 저는 잘 모르겠는데요…

자서방은 강 건너 불구경하듯 웃으며 그냥 대충 만들란다. 도움이 안 된다.

나는 인터넷을 참고해서 비건 만두의 레시피를 구상했다. 두부와 느타리버섯 그리고 당면을 넣으면 되려나…

만두교실이 열리는 당일, 이웃에 사시는 친구분은 원래 저녁 6시에 오기로 했었는데 기대감이 가득한 표정으로 한 시간이나 일찍 도착했다. 그녀는 나와 나이가 비슷해 보이는 젊은 여성이었고 인상도 참 좋았다.

나는 어설픈 첫 요리 교실을 앞두고 꽤 긴장하고 있었지만, 곧 진지한 표정을 장착한 채 우선 만두소 만들기에 돌입했다.

친구분이 비건 만두에 대한 나의 노하우 등 이것저것 물어보시길래 나는 솔직히 대답했다. '저 이번이 처음입니다… 맛 보장은 못 합니다'라고 말이다. 그분은 웃으셨지만 하나하나 재료가 들어갈 때마다 나를 마치 요리 전문가라도 대하듯 감탄하고 또 질문도 많이 하셨다.

만두소를 완성한 후 시어머니와 셋이 만두를 빚었다. 오늘의 요리선생님으로서(?) 나는 두 분의 만두 모양을 냉정하게 평가하기도 했다. 특히 우리 시어머니께서 못생긴 만두를 내려놓으실 때마다 나는 실눈을 가늘게 뜨며 그냥 넘기지를 않았다.

"앗, 이 만두는… 누가 만드신 거지요?"

"내가 했다. 내가 먹을 거다…"

사실 우리 시어머니는 이런 농담 좋아하신다. 이웃분도 같이 소리 내 웃으셨다.

시어머니께서는 만두와 함께 먹을 베트남식 샐러드도 만드셨다. 베트남 식료품점에서 사 오신 패션 푸룻, 망고, 파파야, 당근, 땅콩 가루 그리고 튀긴 마늘 등을 넣으셨는데 태국의 솜땀과 비슷하지만, 그보다 훨씬 맛있었다!

만두를 튀기는 건 자서방의 몫이었다. 물과 기름을 섞어서 뚜껑을 덮고 익혔는데 물만두와 튀김만두 중간쯤의 맛이었다. 완벽해!

특히 고기만두는 모두 엄지를 치켜세우는 그런 맛이었다. 딤섬집에서 나올만한 그런 육즙이 살아있는 맛이랄까…!

나의 첫 쿠킹 클래스는 성공적이었고 자서방과 시부모님으로부터 칭찬을 많이 받았다.시어머니 덕분에 맛있는 요리로 가족을 기쁘게 하는 즐거움을 나도 조금씩 알아가는 중이다.

## 프랑스에서는 바게트로 싸운다며?

"그럼, 너네는 김치로 싸우냐?" "응."

자서방은 브로콜리를 싫어한다.

맛있는 음식에 브로콜리가 들어가 있으면 그것만 골라내고 먹는다.

점심때 시어머니께서 만들어 주신 볶음면에는 브로콜리가 듬뿍 들어가 있었다. 내심 이번에는 좀 다를지 기대를 하며 자서방 접시에 작은 브로콜리들을 잘 안 보이게 담아보았다. 하지만 자서방은 평소처럼 브로콜리와 통마늘을 골라내서는 내 접시로 옮겨놓았고 나는 그저 자서방을 한 번 흘겨준 후 말없이 다 먹어주었다.

점심을 먹고 나서 우리 부부는 장 보러 가시는 시아버지를 따라나섰다.

"나 참, 브로콜리도 안 먹고 마늘도 안 먹고… 몸에 좋은 건 다 안 먹을 건가 봐? 영원히?"

내 잔소리를 들은 자서방이 갑자기 당랑권 비슷한 웃긴 자세를 잡고서 나를 노려보며 말했다.

"싸우자! 이거 프랑스 격투기 자세야. 알겠어?"

"하하 뻥치시네, 프랑스에 격투기가 어딨어? 입으로 싸우다가 와인에 취하면 다들 바게트 꺼내서(등에서 칼 꺼내는 시늉) 이렇게(휙휙 칼싸움하는 시늉) 싸우는 거겠지. 마카롱도 던지고(슝슝 던지는 시늉). 프랑스에서는 갱스터들이 떠나고 나면 길거리에 막 바게트들이 흩어져 있다며? 뉴스에서 본 적 있는 것 같아."

"하! 너 그거 인종차별이다! 아빠, 지금 얘가 뭐라고 한 줄 아세요?!"

자서방이 아버님께 프랑스어로 고자질을 했는데 무뚝뚝하신 우리 시아버지 안 웃으실 것 같더니 찐으로 웃음이 터지셨다. 그 모습에 자서방은 허탈하게 따라 웃었다.

저녁 식사 때 자서방이 아직도 억울했던지 시어머니께 내가 한 말을 또다시 고자질했다. 시어머니께서는 재미있는 포즈를 취하시며 말씀하셨다.

"맞다 맞아! 프랑스인들은 싸울 때 한 손에는 와인병 또 한 손에는 바게트를 들고 이렇게 싸우지!"

자신의 편을 들어주지 않는 어머님 때문에 실망한 자서방은 나에게 최후의 일격으로 이렇게 말했다.

"그럼! 한국인들은 김치 던지고 싸우냐?"

"응."

"너 그거 인종차별이다!"

"브로콜리나 드시지."

바게트만 보면 웃음이 난다.

## 시어머니의 반짇고리

어린 시절 자서방이 고사리손으로 바느질해서 만든 바늘 꽂이를 만났다.

한가로운 여름 오후였다.

나는 시댁 거실 소파 위에 편하게 늘어져서 휴대폰을 보고 있었고 자서방은 바닥에 앉아 모웬과 놀고 있었다. 이때 시어머니께서 반짇고리를 가지고 오셔서 옷감을 수선하기 시작하셨다. 어릴 적 친정엄마가 바느질을 하실 때면 옆에서 지켜보곤 하던 기억이 떠올랐다. 세상의 어머니들은 많이 다르지 않구나…

가만히 시어머니의 바느질을 지켜보던 나는 반짇고리 속에서 눈에 띄는 분홍색 천 조각을 발견하고는 집어 들었다.

"이거 뭐예요?"

그러자 저쪽에서 자서방이 눈을 커다랗게 뜨고 말했다.

"와! 저게 아직도 있네? 엄마, 저걸 아직도 쓰고 계셨어요?"

자서방은 살짝 흥분한 목소리로 이어서 말했다.

"저거 내가 초등학교 때 수업 중에 만든 거거든. 거기 한번 펼쳐볼래? 단추 같은 것도 여러 개 달아서 장식한 거 보이지? 난생처음 바느질을 해서 만든 거라 엄마께 선물로 드렸지. 내가 얼마나 뿌듯했었다고. 그거 이리 좀 줘봐, 와… 엄마, 이걸 여태 간직하셨어요? 정말 감동이에요…"

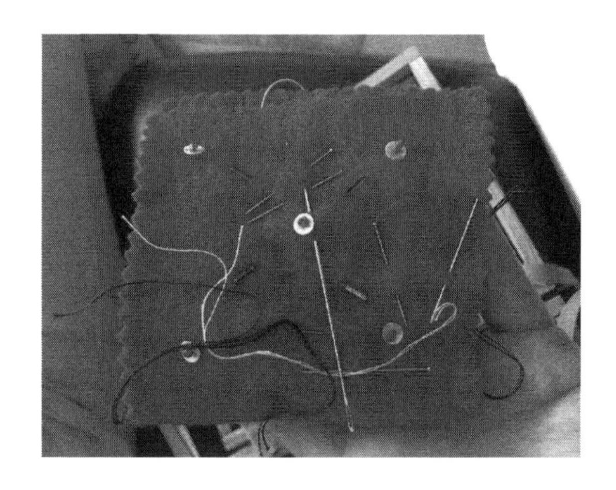

내가 건네준 바늘꽂이를 이리저리 만져보며 감격해하는 자서방을 보니 내가 다 흐뭇해졌다. 그리고 무엇보다도 수십 년간 이걸 소중하게 간직해 오신 시어머니의 마음이 감동스러웠다.

하지만 바로 이어진 시어머니의 충격적인 대답.

"뭐? 이걸 네가 만들었다고? 난 몰랐네… 그냥 여기 있길래 습관처럼 별생각 없이 사용해 온 거지, 꼭 간직하려고 했던 건 아니란다. 이제는 알았으니, 지금부터는 우리 아들 생각하면서 소중히 잘 쓰도록 할게."

이때 자서방의 허탈한 표정을 잊을 수가 없다. 비디오라도 찍어 놨다면 두고두고 웃었을 텐데…

어떻게 그걸 기억하지 못할 수가 있냐며 자서방은 펄쩍 뛰었지만, 시어머니께서는 눈길도 주지 않으신 채 바느질에만 열중하셨다. 나는 그런 두 사람의 모습에 숨이 넘어가도록 웃으며 소파에 혼자 뒹굴었다.

이게 어린 자서방이 고사리손으로 직접 만든 거란 말이지…

처음에는 그냥 천 쪼가리로 보였었는데 다시 뜯어보니 바느질이 들어간 부분이 꽤 많았다. 삐뚤삐뚤한 바느질을 보고 있으려니 그 시절의 어린 자서방의 모습이 머릿속에 그려졌다. 엄마에게 드릴 생각을 하며 정성껏 만들었고 그걸 받으신 어머님은 수십 년간 간직하셨다. 비록 출처는 까맣게 잊으셨지만 말이다.

이런저런 생각을 하면서 자서방의 바늘꽂이를 만지다가 그만 바늘 하나를 떨어트렸다. 아무리 찾아도 보이지 않자 나는 소파 구석에 손을 넣고 뒤지기 시작했다. 이때 시어머니와 자서방이 동시에 다급한 목소리로 나에게 외쳤다.

"안돼!"

"멈춰!"

놀래서 멈칫하는 나에게 두 사람은 또 다른 이야기를 들려주었다. 자서방이 어릴 적 바늘을 찾다가 응급실에 실려 간 이야기를 말이다.

자서방이 12살 때 야구 글로브를 직접 꿰매다가 (바늘꽂이를 만든 후 바느질에 자신감이 붙었던 모양이다)바늘이 손바닥을 관통하는 사고를 당했다고 한다.

"대체 어떻게 하면 바늘이 손바닥을 뚫을 수가 있지?"

"내가 멍청하게도 바늘을 카펫 위에 잠깐 세워 놨거든. 그런데 저녁이 되니까 어두워서 바늘이 안 보이는 거야. 불을 켜고 찾았어야 했는데 바보같이 손바닥으로 카펫 위를 여기저기 두드린 거지. 그러다 세워져 있던 바늘이 손바닥으로 푹 들어갔는데, 바늘은 부러지고 손바닥 안에 부러진 바늘 조각이 그대로 남아 있었어. 응급실로 갔다가 상태가 꽤 심각해서 결국 수술하고 하룻밤 입원까지 해야 했지. 바로 이 흉터가 그때 생긴 거야."

시어머니께서는 한숨을 크게 쉬며 자서방을 한 번 흘겨보시더니 말씀하셨다.

"그 다음 날 퇴원을 안 하겠다고 병원에서 난리를 치는 바람에 내가 얼마나 창피했던지… 하아…"

"퇴원하는 걸 거부했다고요?"

자서방은 자기가 생각해도 웃긴지 연신 웃음을 흘리며 대신 대답해 주었다.

"난생처음 입원이라는 걸 했더니 친척들이 맛있는 걸 사서 줄줄이 찾아오는 거야. 더 이상 아프지도 않았고, 모든 사람이 너무 잘해주니까 그곳을 떠나기가 싫었던 거지. 나도 다 기억나. 내가 막 소리치고 난리 친 거. 엄마, 죄송해요."

시어머니께서도 결국 함께 웃으시며 진상 어린이 자서방의 병원 난동에 대해서 더 상세히 들려주셨고 나는 배가 아프도록 웃었다.

그 진상 어린이는 자라서 바늘을 무서워하는 어른이 되었다.

# 프랑스판 왕 게임에 당했다.

## 어머님께서 직접 구우신 건 줄 알고

어느 날 오후에 시어머니 친구분들이 놀러 오셨다.

나는 급하게 처리해야 할 회사 이메일이 있어서 위층에 있다가 뒤늦게 내려왔는데 손님들과 인사를 나누고 조용히 옆에 앉았을 때 자서방이 먹음직스러워 보이는 갈레트 한 조각을 차와 함께 건네주었다.

그런데 갈레트를 한 조각 크게 포크로 잘라 먹었을 때 그 속에서 이물질이 나왔다. 말 모양의 작은 도자기 장식품이었다.

시어머니께서 갈레트를 구우시다가 실수로 빠트리셨구나…

나는 아무도 눈치채지 못하게 조용히 접시를 들고 일어나 부엌으로 갔다. 그런데 어머님께서 뒤따라오시며 혹시 무슨 일이 있느냐고 물으셨다.

"여기… 갈레트에 뭐가 들어 있어요… 이거 어머님이 구우신 거예요?"

"오, 이게 여기 있었구나!"

"실수로 빠트리신 거예요?"

어머님께서는 웃으시며 미안하다고 하시고는 거실로 돌아가셨다.

남은 파이를 버리면 아까우니까 '이물질'만 부엌에다 빼놓고 자리로 돌아온 후 아무 일 없었던 듯 갈레트를 마저 먹었다.

그런데 다들 나를 쳐다보면서 웃는 것 같은데… 기분 탓인가…?

내가 고개를 들고 갸우뚱하고 있으려니 그제야 자서방이 큰소리로 웃으며 말했다.

"하하하 네가 내려오기 전에 우리는 일부러 널 위해 왕 조각이 든 파이를 남겨 둔 거였거든. 네 반응을 숨죽이며 기다리고 있었는데, 네가 접시를 들고 조용히 부엌으로 가더라. 그때부터 우리는 소리 없이 계속 웃고 있었어!"

잠시 후 어머님께서 내가 부엌에 두고 온 왕 조각(féve)을 깨끗이 씻어다 주시며 말씀하셨다.

"너의 첫 번째 왕이니까 잘 간직하렴. 이 갈레트 데 호아(galette des rois)는 내가 만든 게 아니야. 미셸이 사 온 거란다.호호호."

## 사촌 언니와 재회하신 시어머니

"꼬꼬마였던 너를 내가 무슨 수로 알아봤겠니"

시어머니께는 낭시에 살고 계신 사촌 언니가 한 분 계신다.

여든이 넘은 연세에도 여전히 아름답고 우아한 크리스티안 이모님은 나를 볼때마다 예쁘다고 해 주시는 좋은(?) 분이시다.

그런 이모님으로부터 저녁 식사 초대를 받아 시부모님과 자서방과 함께 처음으로 이모님의 집에 방문하게 되었다.

이모님의 집은 으리으리했다.

나를 위해 이모님의 남자 친구는 집안 곳곳을 구경시켜 주셨다. 넓은 거실 뿐 아니라 복도와 부엌 그리고 모든 방에 멋진 그림들과 장식품들이 진열돼 있었고 가구들도 매우 고급스러워서 마치 미술관에 온 듯한 기분이 들었다. 벽에 걸린 많은 그림 중 일부는 이모님께서 직접 그리신 거라고 하셨다.

식전주를 마시는 동안 이모님 커플은 나에게 영어로 재미있는 이야기를 많이 들려주셨다.

식사를 위해 테이블로 자리를 옮겼을 때 이모님께서 테이블을 교체할 예정이라고 하시며 카탈로그 속의 고급스러운 둥근 테이블 사진을 보여주셨다. 어떠냐고 물으시길래 내가 대답했다.

"지금 이 테이블도 너무 예쁜데요? 이 공간을 최대한 활용하는 크기와 모양인 것 같아서 저라면 바꾸지 않을 것 같아요. 그리고 이 둥근 테이블 엄청 비싸네요!"

그러자 이모님께서는 내 이마에 소리 나게 뽀뽀를 해 주시며 말씀하셨다.

"오, 사랑스러운 것! 너의 한마디로 얼마를 절약하게 되었는지 넌 모를 거다. 듣고 보니 네 말이 맞는 것 같아."

자서방이 옆에서 흐뭇하게 바라보며 웃고 있었다.

전채요리로 오이와 토마토를 갈아서 만든 냉수프를 먹었고 메인 요리로는 스테이크와 함께 라따뚜이와 버섯볶음을 먹었다. 특히 오리기름에 볶아낸 버섯이 정말 일품이었다. 내가 잘 먹는 걸 본 자서방이 남은 버섯을 모두 내 접시에 덜어 주었다.

본식이 끝났을 때는 여러 종류의 치즈가 등장했다. 옆에서 치즈를 계속 잘라 주셔서 다 받아먹었더니 배가 너무 불렀다.

잠시 후 시부모님께서 가져오신 케이크가 등장했다.

"다들 주목하세요!"

이모님의 남자 친구는 모두를 주목시킨 후 포크로 케이크를 톡톡 두드려 겉에 단단하게 싸여있던 초콜릿을 산산조각 내셨다. 그걸 보는 가족들은 손뼉을 치며 좋아했는데 알고 보니 단단한 초콜릿 안에 또 다른 케이크가 모습을 드러낸 것이었다.

아, 이건 내가 지금껏 먹어본 그 어떤 초콜릿케이크보다 맛있었다.

배가 충분히 불러진 나는 이모님께 궁금했던 것을 여쭤보았다.

"고향과 멀리 떨어진 이곳에서 두 분이 가까이 살고 계셔서 너무 보기 좋아요. 두 분 어릴 적에도 이렇게 친하셨어요?"

"우린 어렸을 때 전혀 안 친했단다. 내가 마지막으로 기억하는 어린 시절의 마리엘은 7살 때였던가? 그러니까 나는 벌써 16살 정도였는데 얘가 너무 어리니까 나는 놀아 주지도 않았어. 그러다 나는 멀리 시집갔고 몇십 년 동안 연락은커녕 서로를 완전히 잊고 살다시피 했지."

우리 시어머니께서도 공감하시는지 옆에서 고개를 끄떡이셨다.

"내 딸에게 장애가 있는데 마침 좋은 장애 아동 시설이 생겼다길래 그곳에 가서 내 딸을 등록시켰단다. 두 번째로 그곳을 방문하고 나오던 날, 낯선 한 여성이 글쎄 팔짱을 이렇게 끼고 내 앞을 가로막고 서 있지 않겠니? 나더러 그러더라, [나 모르겠어요? 정말 이러기예요? 나 마리엘이라고요!] 그걸 듣고도 나는 처음에 마리엘이 누군지 모른다고 대답했지 뭐니."

이 대목에서 온 식구들이 다 같이 큰소리로 웃었다.

시어머니께서는 지금 생각해도 서운하신 듯 말씀하셨다.

"난 처음 본 순간 딱 알아봤는데… 반가운 마음에 바로 다가갔더니 글쎄 나를 보고도 그냥 지나치는 게 아니겠니? 못 알아본 거라고 생각은 했지만 화도 나고 서운하더라… 두 번째 본 날도 나는 일부러 근처에서 계속 서성였단다. 언제까지 나를 못 알아보나 싶어서. 결국에는 내가 먼저 아는 척을 할 수밖에 없었지 뭐."

이모님은 시어머니의 얼굴이 꼬꼬마 시절과 너무 달라져 있어서 못 알아볼 수밖에 없었다고 변명하셨지만 사촌 언니를 한눈에 알아보신 시어머니께서는 강하게 반박하셨고 결국 이모님께서는 아무 말씀도 하지 못하셨다. 온 가족이 정말 많이 웃었다.

참고로 그 장애 아동 시설은 우리 시아버지께서 원장님으로 계시던 곳이었다.

고향을 떠나 오랜 세월이 흐른 후 사촌 언니와 우연히 재회를 하신 시어머니의 이야기를 들으니 인연이라는 건 참 신기하다는 생각이 들었다.

자서방과의 인연으로 먼 타국에서 이렇게나 좋은 분들과 가족의 끈으로 엮어지게 된 나 또한 행운아라는 생각이 들었다.

## 시어머니와 제대로 마음이 통한 날.

찌찌뽀

2018년 1월

보름간의 프랑스 휴가를 끝내고 방콕으로 돌아가기 전 우리 부부는 매일 맛있는 요리를 해 주시고 여기저기 구경시켜 주시느라 고생이 많으셨던 시부모님께 뭔가 의미 있는 선물을 해 드리기로 했다.

시부모님 두 분의 취향을 잘 알고 있는 자서방 덕분에 어떤 선물을 드릴지는 쉽게 결정할 수 있었다. 아버님께는 무선 마우스를 사드리기로 했고, 크리스털을 좋아하시는 어머님께는 Daum에서 어머님이 눈여겨보시던 작은 장식품을 사기로 했다.

스타니슬라스 광장에 올 때마다 어머님께서 꼭 한 번씩 들르시

는 크리스털 가게 Daum. 어머님은 몇 번이나 나에게 진열장에 놓인 크리스털 곰돌이가 너무 예쁘지 않냐고 물으셨다.

"난 특히 저 와인색이 참 예쁜데 넌 어떤 색깔이 예쁘니?"

"저는요 딱히 고르라면 파란색이 좋지만요, 사실 크리스털에는 별로 흥미가 없어요."

"이렇게 예쁜데 왜 싫어?"

"비싸니까요. 이 돈이면 맛있는 걸 몇 번을 먹을 수 있는데요."

"그래도 먹는 건 한 번에 없어지지만 예쁜 건 오래오래 볼 수 있잖니."

마침 시부모님께서 오후에 외출을 하신 덕분에 우리는 은밀히 크리스털 가게에 다녀올 수가 있었다.

어머님께서 좋아하시는 와인색 곰돌이는 자서방 주먹만 한 사이즈인데 무려 가격이 250유로였다. 비싸긴 했지만 그래도 어머님께서 좋아하실 생각에 기뻤다.

집으로 돌아오는 길에 자서방은 갑자기 걱정을 하기 시작했다. 괜히 비싼 선물을 샀다고 어머님께서 화를 내실 지도 모르겠다면서.

그날 저녁 우리는 시부모님과 마지막 식전주를 마셨다.

이래저래 대화가 오가던 도중 어머님께서 갑자기 우리가 사 온 크리스털 가게 쇼핑백을 나에게 내미셨다. 자서방이 내가 없을 때 벌써 드렸나 보다.

"어머님, 이거 마음에 안 드세요?"

그때 와인병을 들고 들어오던 자서방이 놀란 눈을 하고 다시 나갔는데 놀랍게도 곧 똑같이 생긴 쇼핑백을 손에 들고 돌아왔다.

네 사람이 동시에 작은 비명소리를 냈다. 어머님께서 가장 크게 탄성을 내셨고 나는 찌찌뽀를 외칠 뻔…

알고 보니 우리 부부와 시부모님은 똑같은 선물을 같은 날 같은 가게에서 사 온 것이었다!

어머님께서는 나에게 이걸 사주시려고 마음에 드는 색깔을 거듭 물으셨던 것인데 나는 또 어머님께서 이게 갖고 싶으시구나 하고 오해했다.

"나는 이런 비싼 선물은 받을 수 없어… 마음만 받을 테니 이건 그냥 환불하는 게 어떻겠니…?"

"그럼 저도 안 받을래요."

받을 수 없다며 환불하자고 몇 번이나 말씀하시던 어머님께서는 단호한 내 대답에 결국 승복하셨다. 하지만 여전히 굳은 표정으로 선물이 정말 마음에 드는지 나에게 자꾸만 물으셨다. 솔직히 나는 속으로 이게 두 개면 돈이 얼마야 하며 계산하고 있었지만, 재빨리 정신을 차리고 환한 얼굴로 마음에 무척 든다고 말씀드렸다.

"어머님과 똑같은 곰돌이를 갖게 되어서 더 의미 있게 되었네요! 그렇지 않나요?"

어머님께서도 마침내 웃으며 고개를 끄덕이셨다.

우리가 쌍둥이 곰돌이를 흐뭇하게 바라보고 있을 때 아버님께서는 혼자 애플 무선 마우스를 흡족한 표정으로 바라보고 계셨다고 한다.

부디 내일 우리가 떠날 때는 어머님께서 덜 슬퍼하셨으면 좋겠다. 매번 공항에서 너무 많이 우셔서 자서방이 덩달아 슬퍼한다.

내년에 또 올게요.

# Ⅱ. 프랑스 시어머니의 시집살이

## 코로나 봉쇄 기간에 프랑스에 입국하다.

모두 텅 비어있었다.

2020년 4월 12일

코로나바이러스 때문에 걱정하는 가족들을 뒤로한 채 나는 텅 빈 인천공항을 통해 출국했다.

우리 부부는 지난해 태국 생활을 청산하고 자서방의 고향인 프랑스 낭시로 이주하기로 했다. 나보다 먼저 낭시에 들어간 자서방은 시댁에서 지내며 한국에서 뒤늦게 출발하는 나를 기다리고 있었다.

이제 막 시작된 팬데믹으로 인해 프랑스 대사관에서는 비자 업무가 중단된 상태였지만 직항을 이용하는 조건으로 배우자 장기 비자를 예외적으로 발급받은 덕분에 나는 자서방과 재회할 수 있게 되었다.

비행기에 탔더니 넓은 객실 안에 승객이 나 한 명뿐이라서 깜짝 놀랐다. 살면서 이런 경험을 또 해볼 수 있으려나? 이날 비행은 아주 편안하고 또 색다른 경험이었다.

파리 샤를 드골 공항에 도착했을 때 내가 타고 온 2층짜리 대형 비행기에서 고작 7명의 승객이 내렸다. 텅 빈 공항에는 출국장으로 나란히 걸어가는 우리 7명의 발소리만이 울려 퍼졌다.

입국장을 빠져나온 직후 나는 마스크를 착용하지 않은 수많은 택시 기사들에게 순식간에 둘러싸였다. 내가 가는 곳마다 벌 떼처럼 시끄럽게 따라오는 이 사람들 때문에 당황하고 있을 때 그중 한 남자가 말했다. 승객이 워낙 없어서 이러는 거라고…

시아버지께서 예약해 주신 택시 기사님께서 뒤늦게 서야 내 이름표를 들고 헐레벌떡 달려오셨다. 일회용 마스크와 비닐장갑을 끼고 계시던 중년의 이 기사님은 친절하게 내 카트를 밀어주시며 이제는 걱정하지 말라고 나를 안심시켜 주셨다.

기사님은 정말 친절하셨다. 영어와 프랑스어를 섞어서 프랑스 팬데믹 상황에 관해 설명해 주셨다.

더없이 좋은 분이셨는데…

중간에 한 번 방귀를 뀌신 것 같다. 냄새가 너무 지독했는네 창문을 열지도 못했다. 상처받으실까 봐… 오기 전에 나영이가 이모 먹으라고 먹여준 방귀도 아직 소화가 안 됐는데… 아참, 나영아 이모가 잘 먹었다…

택시는 밤 10시 반이 넘어서야 시댁 대문 앞에 도착했다. 내가 벨을 눌렀을 때 집안에서 시어머니의 비명이 맨 먼저 들려왔고 곧 자서방을 선두로 가족들이 모두 달려 나왔다.

난 자서방을 만나면 눈물이 날 거로 생각을 했다. 그런데 막상 달려 나오는 자서방을 보니…

웬 곰 한 마리가 달려 나오는 줄…

맨날 화상 통화로 얼굴만 봐서 전혀 몰랐다.

자서방 요즘 바빴구나… 몸 키우느라… 격리 생활의 부작용… 말로만 듣던 확 찐 자가 여기 있었네.

자서방이 환하게 웃으며 달려와 나를 끌어안고 마스크를 끼고 있던 내 볼에 키스를 퍼부을 때 나는 나도 모르게 뒷걸음질을 칠 뻔했다.

사랑스러운 곰 한 마리와 시부모님과의 동거가 이제 시작되었다!

## 봉쇄 기간 중 확 찐 자가 된 남편

엉덩이는 더 섹시해졌다.

2020년 4월 13일

아침 9시에 눈을 떴는데 간밤에 감고 덜 말린 채로 잤던 머리가 사자처럼 산발이 돼 있었다. 대충 머리를 묶고서 옆에서 여전히 자는 자서방을 두고 조용히 아래층으로 내려왔다.

언제나 부지런하신 시아버지께서는 테라스를 소독하고 계셨고 시어머니께서는 부엌에서 커피를 준비하고 계셨다.

나는 두 분께 힘찬 목소리로 아침 인사를 드렸다.

"봉쥬!"

"봉쥬, 잘 잤니?"

"네, 정신없이 잤어요."

아직은 쌀쌀한 테라스에서 새소리가 엄청나게 들려왔다.

내가 낭시에 오긴 왔구나…

시어머니께서 뜨거운 라테 한 잔과 함께 따뜻하게 구운 브리오슈 한 조각을 갖다주셨다.

"저는 이걸로 충분하지 않아요…"

내 말에 시어머니께서는 크게 웃으시며 두 조각을 더 얹어 주셨다.

이 정도는 되어야지요…

자서방은 말했다. 봉쇄 기간 중 오전의 주된 일과는 점심 식사를 기다리는 것이라고 말이다.

과연 시어머니의 음식 솜씨는 매 끼니를 기다리게 만들기에 충분했다. 점심때 내가 좋아하는 훈제 연어를 먹었는데 셀러리와 당근이 섞인 샐러드와 바게트 그리고 와인까지 곁들여서 아주 맛있게 먹었다.

어머님께서는 내가 오늘따라 유난히 많이 먹는다며 어제 비행기에서 제대로 못 먹었냐고 물으셨다.

"아니요. 저 비행기에서도 하나도 안 남기고 모조리 다 먹었어요."

자서방은 웃으며 말했다.

"너도 여기 있으면 곧 나처럼 될 거야."

어우야, 곰이 말하네…

식사 후에 시어머니께서는 나에게 디저트를 권하셨지만 나는 배가 너무 불러서 거절했다. 그러자 어머님께서는 자서방까지 디저트를 못 먹게 하셨다. 자서방은 잠시 세상을 잃은 듯한 표정을 지었지만, 어머님께서는 저녁에 다 같이 먹는 게 좋지 않겠냐며 능숙하게 달래셨다.

자서방은 이 격리 생활에 완전 적응이 된 것 같았다. 외출을 못해서 답답해하는 모습도 전혀 없고 농담인지 진담인지 격리 생활이 잘 맞는다며 종종 해맑게 웃었다. 시어머니께서는 그런 자서방을 때때로 못마땅한 듯 바라보셨지만 말이다.

저녁 식사 도중에 내가 실수로 머리 끈을 바닥에 떨어뜨렸다.

직접 주우려다가 혹시나 하는 마음에 자서방에게 대신 주워달라고 부탁해 보았다. 자서방은 내 의도를 파악했다는 듯 씨익 웃더니 가뿐하게 허리를 굽혀 끈을 주웠다. 하지만 얼굴은 피가 쏠려서 시뻘겋게 변해있었다.

저녁 식사 후 우리는 자서방이 점심때 못 먹어서 아쉬워했던 바로 그 케이크를 먹었다. 너무나 맛있게 먹고 있던 나에게 자서방이 자신의 배를 쓰다듬으며 말했다.

"한 달 후면 너도 이렇게 된다? 이곳에 온 것을 환영해!"

악담을 참 다정하게도 한다.

침실로 올라가는 계단에서, 앞서 걸어가는 자서방의 엉덩이를 감상하며 내가 말했다.

"원래도 섹시하던 엉덩이가 더 섹시해졌네."

내 칭찬에 기분이 좋아진 곰은 엉덩이를 심하게 흔들며 요란하게 올라갔다.

견고해 보이던 계단이 처음으로 위태롭게 느껴졌다.

## 슬기로운 봉쇄 생활

소테른 와인은 거들 뿐

2020년 4월 30일

오후의 봄 날씨가 너무 좋아서 한 시간쯤 정원 선베드에 누워 일광욕을 하고 들어왔더니 자서방이 보여줄 게 있다며 내 손을 잡아끌었다.

"와이프가 아주 좋아하는 걸 줄 거야."

자서방은 벙글거리며 지하실에 있는 와인 저장고로 나를 데리고 갔다. 그러고는 맨 위 칸에 있는 화이트 와인 중 한 병을 꺼내 들고 말했다.

"소테른 와인이야. 2009년 산을 구하는 게 쉽지 않거든. 발견하자마자 와이프랑 마시려고 한 박스 사 왔어. 병도 아담해. 딱 와이프 스타일이지?"

우리는 한 병을 들고 올라와서 시음했다.

와! 달콤하고 향이 진짜 좋았다.

한 모금을 입에 살짝 머금은 채 활짝 열린 테라스와 파란 하늘을 둘러보았다. 새소리도, 곰이 된 자서방도, 향이 좋은 이 와인도, 모든 게 다 완벽하게 느껴졌다.

감격한 내 표정을 보더니 자서방이 웃으며 물었다

"봉쇄 생활하는 거 정말 힘들다. 그렇지…?"

"응…"

2초 후 우리는 서로를 마주 보며 깔깔 웃었다.

"와이프 오면 같이 마시려고 얼마나 기다렸다고…"

내가 함께 있으니 너무 좋다고 몇 번이나 말하는 자서방에게 내가 말했다.

"나도 너무 행복한데 동시에 마음 한구석은 조금 찜찜한 거 있지. 우리가 이런 한가로운 시간을 보내는 게 처음은 아니지만 2주든 3주든 휴가가 끝나면 일터로 돌아가야 했잖아. 지금 이렇게 놀고먹고 살찌고 해도 되는 건가 싶은 게 마음 한편에 죄책감이 드네…"

"와이프는 프랑스어 공부도 하고 테라스에서 요가하면 되지."

"응… 그렇지. 근데 귀찮아…"

우리는 2초 후 한 번 더 큰소리로 함께 웃었다.

점점 닮아간단 말이지…

## 옆집 고양이 때문에 속상한 시어머니

### 내 집에서도 눈치 보는 쫄보 형제

시댁에는 사랑스러운 고양이가 두 마리 있다.

시부모님께서 자식처럼 여기시는 이 고양이들의 이름은 각각 이스탄불과 모웬이다. 덩치가 크고 초콜릿색의 윤기 나는 털을 자랑하는 이스탄불은(이스탄불에서 데려왔다) 카리스마 넘치는 외모와 달리 성격이 매우 소심하다. 그리고 회색의 곱슬 털을 가진 모웬은 낯선 손님들의 무릎에도 잘 올라갈 정도로 애교가 많다.

유난히 일찍 일어났던 어느 아침, 혼자 느긋하게 커피를 마시고 있던 나는 갑자기 들려온 고양이의 다급한 울음소리에 밖으로 나가보았

다.

제일 먼저 내 눈에 들어온 것은 정원 한가운데 앉아있는 이스탄불이었다. 이스탄불은 불안한 눈빛으로 수풀을 응시하고 있었는데 그 수풀 속에서는 옆집 고양이 틱스의 무시무시한 하악질소리와 함께 모웬의 애처로운 울음소리가 들려오고 있었다.

저런, 틱스가 모웬을 위협하고 있구나…

내 기척을 느꼈던지 곧 수풀 속에서 용기를 낸 모웬이 살금살금 기어 나왔다. 틱스는 그런 모웬을 향해 여전히 사납게 울어대고 있었다.

나 참 누가 보면 여기가 틱스네 집인 줄 알겠네…

모웬은 4살, 이스탄불은 8살인데 틱스는 고작 두 살인 데다 심지어 혼자만 암컷이다. 그런 틱스의 겁 없는 횡포가 요즘 날로 심해지고 있다. 멋대로 담장을 넘어와서 정원이나 테라스를 내 집처럼 활보하는 것도 모자라 심지어 집안에도 들어와서 여유롭게 사료를 훔쳐먹기도 한다. 자기 근처로 우리 고양이들이 지나가기라도 하면 틱스는 하악질로 위협하며 쫓아낸다.

잠시 후 거실로 내려오신 시어머니께 내가 이른 아침에 목격한 것을 말씀드렸더니 어머님은 땅이 꺼지도록 한숨을 길게 쉬셨다.

"이쁘지도 않은 게 성격만 못돼서는… 어휴…"

어머님은 틱스가 못생겼다고 자주 흉보신다. 대신 옆집 커플을 매우 좋아하시기 때문에 혹시라도 옆집에서 들을까 봐 항상 작게 말씀하신다. 사실 검은 고양이 틱스가 정원에 웅크리고 있으면 종종 나는 이스탄불과 혼동을 하는데 그럴 때면 시어머니께서는 이스탄불의 멋진 초콜릿색과 틱스의 윤기없는 검은털을 헷갈리면 안 된다고 강조하신다.

"정말 속상해요. 근데 모웬이랑 이스탄불이 용기 내서 함께 맞서야 하는데 둘 다 각자 도망가기 바쁘네요."

우리는 문득 옆에 있던 모웬에게로 시선을 돌렸는데, 모웬은 창밖으로 보이는 틱스네 담장에다 시선을 고정하고 있었다. 여전히 우리 정원에 남아있는 틱스가 언제 돌아가려나 하고 지켜보고 있는 것이다. 그 모습이 하도 심각해서 내가 웃음이 빵 터져버렸다. 하지만 시어머니의 표정은 모웬 만큼이나 심각하셨다.

어머님께서 모웬을 향해 단호하게 말씀하셨다.

"모웬, 여긴 네 집이란다. 너희가 행복하게 지내라고 내 돈으로 가꾸어 놓은 정원이라고. 틱스가 주인이 아니야."

여전히 담장을 바라보는 모웬의 귀에는 아무것도 들리지 않는듯했다.

"틱스가 오기 전까지는 우리 아이들이 얼마나 행복했다고… 저 집 여주인은 틱스가 엄청 연약한 줄 알아. 고양이들 비명이 들릴 때마다 쫓아 나와서 틱스! 틱스! 하며 안절부절못하지. 우리 집에 수컷 고양이가 두 마리나 있으니 어린 틱스가 해코지당할까 봐 맨날 한 걱정인가 봐."

"그러면 알려주지 그러셨어요. 틱스가 대장이라고요. 우리 고양이들은 내 집에서도 도망 다닌다고요."

"…나는 말 못 해… 창피해서…"

아… 우리 시어머니 너무 진지하시다. 긴장하며 경계하는 모웬도 시무룩한 이스탄불도 다들 너무 심각하다. 이럴 때는 나도 눈치를 챙겨야 하는데 참으려 해도 자꾸만 웃음이 새어 나왔다.

"아무래도 암고양이로 한 마리 더 들이자고 미셸한테 부탁해야겠어. 아주 사악한 아이를 들여서 저 못된 것이 다신 얼씬 못하게 해야지."

음… 그렇게 되면 모웬이랑 이스탄불은 지금보다 더 쭈구리가 될 것 같은데요…

"난 너라도 전말을 알게 되어 너무 기쁘단다. 난 이미 다 알고 있었지만, 말은 안 하고 있었지. 다들 틱스를 예뻐하니까. 내 새끼들만 불쌍하지…"

그렇다. 우리 아버님은 틱스를 예뻐하신다. 종종 간식도 챙겨주시는데 그 때문인지 틱스는 더 대담하게 담을 넘어온다.

잠시 후 창밖으로 틱스가 담장을 넘어 집으로 돌아가는 모습이 보였고 나는 바로 쫄보 형제들에게 말했다.

"얘들아, 틱스 갔다. 이제 나가 놀아도 돼!"

옆집 쪽을 흘끔거리며 슬금슬금 밖으로 나가는 쫄보 형제를 속상한 표정으로 바라보시던 시어머니께서 갑자기 마트에 가자고 하셨다.

"물총 사러 가자. 맞으면 아픈 걸로…"

## 이웃집 체리에 군침을 흘렸더니
진짜로 체리가 생겼다.

2020년 6월 1일

오전에 나는 새소리 가득한 테라스에 기대서서 옆집의 아름드리 체리 나무를 바라보고 있었다.

"저거… 우리가 따 먹을 순 없을까…?"

혼잣말처럼 중얼거린 내 말에 자서방이 대답했다.

"응. 뒤뜰에 가 보면 우리 집으로 넘어온 가지가 있을 거야. 우린 매년 그렇게 먹었어."

"내가 이미 가 봤지… 하지만 온실이 있어서 손이 잘 닿지 않더라고…"

옆에서 듣고 계시던 시어머니께서 말씀하셨다.

"옆집에서는 저 체리들을 매년 저렇게 방치한단다. 나라면 어느 정도는 수확해서 이웃들과 나눠 먹었을 텐데. 물론 높은 곳의 체리는 새들에게 양보하고 말이야."

저 새들이 내 체리를 다 먹는 것만 같아 속상하다. 그만 쳐다봐야지…

잠시 후 시어머니와 점심 준비를 하고 있을 때 시아버지께서 테라스로 올라오시는 게 보였다. 한 손에는 체리 한 줌을 들고서!

"자, 이거 네 거다."

와!

우리 대화를 들으신 시아버지께서 뒤뜰에 가셔서 따 오신 것이다! 비록 옆집 나무지만 나는 정말로 감동했다.

체리를 씻어서 식구들에게 권해보았지만 다들 웃으며 나 혼자 다 먹으라고 했다. 내가 너무 좋아했나 보다.

다음 날, 시어머니를 도와 저녁 식사를 준비하고 있을 때 대문 벨 소리가 울렸다. 확인하러 나가셨던 시아버지께서 두툼한 종이봉투를 들고 오셔서 나에게 건네셨다.

와! 체리다!

"옆집에서 주고 갔단다."

"오, 그녀가 올해는 수확을 했대요?"

"아니 아니. 왼쪽 말고 오른쪽 옆집, 틱스네."

시어머니께서는 흐뭇한 표정으로 "마이달링"이라고 한 번 더 말씀해 주셨다. (잘생긴 옆집 남자를 어머님께서는 저렇게 부르신다. 근데 아버님이 옆에서 듣고 계시는데요…?)

며칠 전에는 아스파라거스도 갖다주더니 옆집 남자는 잘생긴 데다 인정까지 많은 사람인가 보다.

"그럼 나는 마이 달링을 위해서 쿠글로프를 구워야겠구나!"

체리는 내가 다 먹는데 보답은 어머님께서 하시겠단다. 그것도 아주 행복한 표정을 지으시면서 말이다.

이제 왼쪽 옆집 체리 나무는 그만 쳐다봐도 될 것 같다. 잘생기고 친절한 오른쪽 이웃집 만세!

## 메샹이 뭐예요?

### 프랑스어는 어려워!

2020년 6월 3일

오늘 저녁 메뉴는 병아리 콩 카레와 밥 그리고 돼지고기 스테이크였다.

"역시 내가 만든 밥이 최고야!"

시어머니의 말씀을 들은 자서방이 나에게 물었다.

"오늘은 밥을 와이프가 안 하고 엄마가 하셨어?"

나는 허공을 쳐다보면서 더듬더듬 프랑스어로 대답했다. 내가 말이 느릴 때마다 짓궂은 자서방은 하품하는 시늉을 하며 장난을 치는데 그럴 때면 나는 또 웃느라 대답 속도가 더 느려진다.

"내가 하겠다고 말했는데… 그녀가… 안돼."

허락하지 않았다고 말하고 싶었는데 허락이 프랑스어로 뭐더라… 이래저래 세상 느리게 단어들을 갖다 붙이는 동안 온 식구들이 숨이 넘어갈지도 모르겠다고 생각했다. 그러다 역시 성격 급하신 시어머니께서 후다닥 내 문장을 대신 완성해 주셨다.

"휴우… 네, 그 말이었어요!"

그러자 어머님을 향해 자서방의 잔소리가 시작되었다. 내가 배운 단어들을 떠올려서 스스로 문장을 만들게 해야 하고 끝까지 인내심을 가지고 들어줘야 한다고 말이다.

마음이 상하신 시어머니께서는 자서방에게 "넌 메샹이야"라고 하셨다.

"메샹이 뭐예요?"

뭐더라… 분명 들어봤는데… 가물가물…

내 질문에 시아버지께서 웃으시며 천천히 말씀해 주셨다.

"이스탄불이 가끔 모웬한테 메샹하지."

큰 고양이 이스탄불이 모웬을 괴롭히는 모습을 몇 번 본 적이 있다.

"아하! 나쁘다는 뜻이군요!"

시아버지께서는 "그렇지!"하며 웃으셨다.

배운 건 바로바로 써먹어야지. 나는 옆에 있던 자서방에게 검지를 흔들면서 말했다.

"너, 메샹!"

식사가 끝나고 거실에 혼자 앉아있는데 자서방이 다가와서 나를 거칠게 끌어당기며 키스를 했다. 그러고는 야릇한 눈빛으로 이렇게 말했다.

"내가 메샹하다고? 내가 진짜로 메샹한 거 보여줄까?"

"음… 메샹 뜻을 내가 제대로 이해한 게 맞는지 검색 먼저 해 보고 대답해 줄게."

메샹: 심술궂은/ 악독한/ 냉혹한/ 행실이 나쁜…

그래 오늘 메샹한 자서방 좀 보자!

## 친정엄마에게는 낯선 프랑스 시댁 문화

시부모님의 이름을 부른다고?

아침에 친정엄마와 화상 통화를 했다.

"시댁 식구들 지금 아침 식사 중인데 오랜만에 인사할래?"

우리 엄마는 두 손을 저으며 부끄러워하시다가 자서방이 보고 싶긴 하다고 하셨다.

자서방에게 화면을 비춰주니 자서방이 활짝 웃으며 "안녕하세요!"를 외쳤다. 자서방 옆에 계시던 시어머니와도 인사 시켜드리고 부엌에서 커피를 내리고 계시던 시아버지와도 인사를 시켜드렸다. 마지막으로는 테라스에 나와서 고양이들과 꽃들도 보여드렸다.

"와 새소리가 정말 듣기 좋구나! 근데 아침 먹는다더니 왜 다 뿔뿔이 흩어져 있어? 둘러앉아 먹지 않고…"

확실히 아침은 각자 알아서 먹는다. 아침마다 밥상을 차려서 아빠와 마주 앉아 드시는 우리 엄마의 눈에는 신기하게 보일 수도 있을 것 같다.

그리고 엄마는 또 내가 시부모님의 이름을 부르는 걸 보고 새삼 충격을 받으셨다. 말씀드린 적은 있는데 막상 실제로 보신 건 처음이라…

"나도 처음에는 프랑스어로 어머니 아버지라고 불러드렸는데 시어머니가 자서방한테 재 왜 나더러 엄마라 부르냐고 하셨다더라고. 이 나라 문화대로 그냥 이름을 부르는 게 더 편하신가 봐. 나도 솔직히 아직 적응이 안 돼. 그래도 참 좋은 문화야 그치."

시부모님의 이름을 부르는 것은 여전히 어색하다. 하지만 한편으로는 서로의 이름을 부르게 되면서 동등해졌다는 느낌이 묘하게 들기도 했다.

내가 시어머니의 입장이었다면 어땠을까 곰곰이 생각해 보았다. 갑자기 가족이 된 낯선 며느리가 처음부터 나를 어머니라고 부른다면 왠지 나는 매사에 모범이 되어야 하고 어머니로서의 막중한 책임도 막연히 느꼈을 것 같다. 그런 비슷한 이유로 '어머니'라는 호칭 대신 이름을 불러드렸을 때 우리 시어머니의 마음도 더 편해지신 게 아닐까.

사랑으로 시작해 법으로 맺어진 가족이니 그 테두리 안에서 서로 존중하고 지내다 보면 자연스레 정이 들고 결국은 진짜 가족이 되는 거겠지.

"아참 그러고 보니 생각난다. 자서방이 처음 한국에 갔을 때 엄마 아빠 이름을 자꾸 물어보더라? 계속 안 가르쳐주다가 결국에는 엄마 이름은 '어머니' 아빠 이름은 '아버지'라고 내가 알려줬지. 헤헤."

"맞다! 자서방이 나를 마마였는지 맘마였는지 뭐 그렇게 불렀어."

아이고 우리 자서방 어머니라는 말이 또 헷갈렸나 보네.

"자서방이 엄마더러 금자- 그랬으면 얼마나 웃기겠어. 우리 엄마 이름은 또 오죽 이뻐서."

우리모녀는 그 장면을 상상하며 깔깔 웃었다.

"아참 니네 외할매가 자서방 처음 만날 날 혀 차신 거 알지? 장인한테 술을 따라주는데 한 손으로 척 따르는 거 좀 보라면서. 세상에 저런 법도가 다 있냐고 하셨어."

내가 신신당부했음에도 첫날에는 자서방이 몇 번 실수하긴 했다.

"내가 여기서 시부모님 이름을 부르고 시어머니 앞에서 소파에 누워있는 걸 보시면 할머니 진짜 놀라시겠네."

"거기는 참 좋은 세상이다. 한국이었으면 상상도 못 하지. 며느리한테 밥도 꼬박꼬박 차려주는 시어머니가 어딨다고… 아참 니네 새로 이사하는 집이 바로 옆이라며. 나중에 니네 시어머니 맨날 오시는 거 아니야?"

"아니 우리 시어머니는 그런 분 아니셔. 안 그래도 말씀하시더라. 도움이 필요할 때 연락해 주면 언제든지 기쁘게 달려갈 테지만 그렇지 않으면 잘살고 있나 보다 하고 생각하실 거래. 대신 필요할 때는 꼭 연락해 주고 자주 놀러 오라고 하셨어. 우리 사생활에는 침범 안 하실 거라고. 분명 그러실 분이야."

"참 좋은 시어머니시다 진짜. 아 그나저나 자서방 면도하고 나니 세상에서 제일 잘생겼네. 이 말 자서방한테 꼭 말해줘라. 면도 좀 자주 하라고."

"난 수염 좋은데…"

내 말에 우리 엄마가 얼굴을 찡그리셨다. 난 자서방 수염이 좋기만 한데 말이다.

"남편, 우리 엄마가 남편이 세상에서 제일 잘생겼대."

결국 면도 얘긴 쏙 빼고 전해줬더니 남편 입꼬리가 귀까지 올라갔다.

## 시어머니의 인턴이 되었다.

### "이제부터 매일 요리와 프랑스어 수업을 하도록 하겠다."

내가 시댁에 도착한 지 일주일도 안 되었을 때 시어머니께서는 결연한 표정으로 이렇게 말씀하셨다.

"이제부터 나는 너에게 하루에 한 가지씩 요리를 가르쳐 줄 거고 프랑스어 수업도 매일 할 거다."

"프랑스어 수업은 하루에 얼마나 하나요?"

"십분."

"네. 그 정도면 저도 좋아요!"

이렇게 나의 시댁 인턴 생활이 시작되었다.

시어머니께서는 손님들이 방문할 때나 지인들과 전화 통화를 하실 때마다 요즘에 인턴이 된 며느리에게 요리와 프랑스어를 가르치는 중이라고 큰소리로 말씀하셨다.

하지만 이 인턴 생활이 절대 쉽지만은 않다. 가르쳐 주시는 건 감사한 일이지만 불어로 빠르게 설명하시는 데다 하루에도 몇 번씩 부엌으로 나를 부르셨다.

"요용!"

그러면 나는 요리책과 펜을 들고 쌩- 달려가야 한다.

열심히 메모까지 하며 익혀야 하는데 어머님 말씀은 또 어찌나 빠르신지…

한 번은 급한데 내 볼펜이 잘 안 나와서 당황하고 있었더니 저쪽에서 지켜보던 자서방이 새 볼펜을 들고 얼른 달려와 주기도 했다.

뭐 그래도 생전 처음으로 키쉬도 만들고 피자도 직접 만들어 보니 굉장히 뿌듯하다.

시어머니께서 요리하실 때 옆에서 배우면서 보조하는 게 전부지만 어머님은 식사 때마다 내가 혼자 만든 요리라며 나를 치켜세워 주신다. 그러면 시아버지와 자서방은 나에게 고맙다, 맛있다는 인사를 해 준다. 특히 자서방은 손바닥에 불이 나도록 박수를 쳐 주고 더 많이 먹는다. 이 핑계로 더 많이 먹기 없기…

하루는 시어머니께서 나를 불러서 요리책을 펼치시며 말씀하셨다.

"오늘 오후에는 야채 찌는 것을 가르쳐주겠다."

오전 내내 프랑스어 수업인지 요리 수업인지 모를 혼합 수업에 여전히 머리가 혼미한 상태였던 나는 감히 어머님께 반발했다.

"아니죠, 그건 내일 해야죠. 오늘 오후에는 이미 피자를 만들기로 했잖아요. 그러니까 야채 스팀은 내일 하는 게 맞지요. 하루에 한 가지씩이니까요."

저쪽에서 듣고 있던 자서방이 조용히 나를 향해 엄지를 세웠다.

"그래 네 말이 맞다. 오후에는 피자만 만들자. 스팀은 내일."

시어머니의 대답에 용기를 얻은 나는 한마디 더 했다.

"오늘 프랑스어도 너무 많이 했어요. 요리하는 내내 십분 넘게 불어로 말씀하셨잖아요."

"그래 그랬지."

"그럼 내일은 프랑스어 빼주세요!"

"그건 안된다."

"넵."

자서방 옆으로 돌아왔더니 자서방이 말했다. 시도는 좋았다고.

어느 날은 늦잠을 자고 늦게 부엌에 내려왔더니 시어머니께서 혼자 만두를 빚고 계셨다.

"저 기다리지 그러셨어요."

"아니다. 그리고 오늘은 일요일이니까 수업은 없어. 일요일은 쉬는 날."

"남편, 들었어? 축하해 줘! 나 오늘 수업 없대!"

나는 시어머니 앞에서 대놓고 꺅꺅거리며 좋아했다.

그날 오후, 거실에서 텔레비전을 보고 있을 때 시어머니께서 당근을 한 봉지 가져오셔서 껍질을 깎기 시작하셨다.

"제가 할게요."

"아니. 일요일이잖니."

"넵."

퇴사했어도 일요일은 좋은거구나…

"화요일에 사이공 갈 건데 김치 사다 줄까?"

사이공은 이곳 베트남 식료품점인데 한국식품도 팔고 있다.

"아니에요. 냄새나잖아요. 전 나중에 만들어서 먹으면 돼요."

"너 좋아하잖아. 우리는 괜찮아."

옆에 있던 자서방이 끼어들었다.

"나도 몇 번 사다 준다고 했는데 맨날 싫대. 우리 와이프 정말 까다로워."

솔직히 시댁에 있는 동안 시어머니 음식 대신 나 혼자 김치 등 다른 반찬을 먹는 건 좀 아닌 것 같았다.

잠시 후 시어머니는 휴대폰으로 김을 검색해서 보여주시며 "그럼 이거 사다 줄까?"라고 하셨다.

"아니에요. 저는 지금 이곳에서 먹는 모든 음식이 맛있어요. 한국 음식은 나중에 먹어도 돼요. 지금은 어머님 음식이 더 좋아요."

시어머니께서는 영 개운치 못한 표정으로 알겠다고 하셨지만 나는 스스로 제법 좋은 대답이었다고 생각했다.

수업 중에는 엄격하시지만, 며느리를 아끼고 걱정하시는 마음은 분명 진심이신 것이다.

## 프랑스 시어머니의 시집살이

나를 웃게도 울게도 하시는 시어머니

2020년 5월 17일

아침에 커피를 마시고 있을 때 시어머니께서 물으셨다.

"내가 어제 너희 침실에 새로 깔아준 침대보 어떠니? 정말 포근하지 않던?"

자서방이 지나가다가 대신 대답했다.

"얘는 차이 잘 못 느꼈을 거예요. 원래 그런 거에 별로 신경 안 써요."

그렇다.

난 솔직히 차이를 못 느꼈다.

뭔가 좋은 걸 신경 써서 해 주셨던 모양이다.

"네 좋았어요. 전에 쓰던 것도 좋았고 이번 것도 좋고… 전 다 좋던데요."

자서방은 시어머니를 바라보며 "제 말이 맞죠?"라고 했고 시어머니께서는 실망하신 표정을 지으셨다.

"그렇단 말이지… 앞으로 네 침대는 그냥 감자 자루를 깔아줘야겠구나."

"으하하하하하하하하 아니에요. 저 이번 침대보 정말 편해요. 이전에 쓰던 것보다 훨씬 좋아요!"

시어머니의 말씀이 너무 재미있어서 정말 미친 듯이 웃었다. 우리 어머님은 내 스타일이시다.

6월인데도 낭시는 쌀쌀하기만 하다.

시어머니를 도와 점심 준비를 하던 중 어머님께서 좀 추운 것 같다며 처음 보는 후드 점퍼를 걸치고 돌아오셨다.

"이거 나한테 좀 작은 거 같지?"

"괜찮은데요?"

"그래? 작아서 너 줄지 생각했거든."

"다시 보니 어머님께 작은 거 같아요."

어머님은 내가 재미있다며 웃으셨다. 어머님께서 나를 편하게 대해주시니 나도 자연스럽게 농담이 나온다.

"너희 오늘 집 보러 간다고 했지? 이번에는 저번 집보다 마음에 들었으면 좋겠구나."

"네. 가격이나 크기는 비슷한데 가스비가 포함이라 결론적으로는 더 저렴해요. 근데 그쪽으로 가면 마트가 멀어져서 조금 걱정이에요."

"장 보러 가기 전에 먼저 나한테 물어보거라. 우리 집 냉장고에 있는 거면 그냥 여기서 가져가면 되니까."

"저 그래서 매일 오려고요. 고양이들이랑 놀고 정원에서 꽃도 꺾어 갈 거예요. 올 때마다 큰 장바구니도 가져올 거예요."

"그래 그래라. 뭐든지."

나는 농담으로 웃으며 얘기하고 있었는데 시어머니께서는 진지한 표정으로 말씀을 이어 가셨다.

"전에 내 친구 마리 필립이 나한테 말했단다. 상대에게 뭔가를 부탁하는 걸 어려워하지 말라고 말이야. 나이 먹어서 누군가에게 도움을 부탁받으면 내가 필요한 사람이 된 것 같아서 오히려 기분이 좋고 더 살아있는 기분을 느끼게 한다고 하더구나. 예전에는 내가 그녀에게 도움을 많이 받았는데 이제는 내가 그녀한테 도움을 주고 있으니 나도 그 말이 이해가 가. 너에게는 이곳 생활이 쉽지 않을 거야. 혼자 있는 집에 누가 찾아와도 무서울 거고 말이야. 우울할 때는 집에 혼자 웅크리고 있지 말고 아무 때나 여기로 오너라. 부모는 자식이 찾아주면 항상 기분이 좋은 법이니까. 우리 둘이 지금처럼 산책도 하고 영화관에도 가고 외식도 하고 그러자꾸나."

맨날 농담만 하시던 시어머니께서 너무 진지하게 말씀하시는데 눈물이 왈칵 날 뻔했다.

마리 필립 아주머니는 시어머니의 친구분이신데 정신과 전문의로 일하시다가 작년 심장 수술을 받은 후부터 몸이 약해지셨다. 그래서 시부모님께서는 그분을 위해 매주 장도 봐주시고 크고 작은 심부름을 대신해 주고 계신다.

"대신에 나와 미셸은 너에게 부담을 주고 싶지는 않아. 네가 혼자서 할 수 있는 건 혼자서 해 보도록 해. 우리는 조금 떨어져서 지켜보기만 할 거야. 대신에 네가 우리 도움이 필요하다고 하면 우리는 언제든지 환영이란다. 그리고 이 집이 너에게 항상 열려있다는 것도 잊지 말거라."

속으로 엄청나게 찡했다.

"네. 어머님도 똑같이 하셔야 해요."

"그래, 고맙다."

어머님께서 껄껄 웃으셨다.

# 나는 힘이 세고 착한 며느리다.

## 말귀는 좀 못 알아 듣지만

2020년 6월 5일

밤새 내리던 비가 아침이 되어서야 그쳤다.

일찍 일어나 샤워하고 상쾌한 기분으로 내려왔더니 시어머니께서 본인의 샤워가 끝나면 같이 계란을 사러 가자고 하셨다.

"제가 혼자 리들에 걸어가서 사 올까요?"

"정말 그래 주겠니?"

"네 그럼요. 혼자서 마트도 가 봐야죠."

프랑스에 온 지 두 달이나 되었건만 나는 우습게도 단 한 번도 혼자 외출을 해 본 적이 없다. 물론 그중 대부분은 봉쇄 기간이었기도 하지만 봉쇄가 해제된 이후에도 나는 코로나와, 막연한 인종차별에 대한 공포로 외출 자체를 꺼려왔다.

"그래그래. 그럼, 계란 80개만 사다 주렴."

헐… 80개…?

"아, 그리고 감자도 필요해. 퓌레나 튀김용으로 사면 돼. 종류 잘 보고 사야 한다."

계란 80개에 대한 의문을 떠올릴 새도 없이 어머님께서는 내 손에 20유로를 쥐여 주셨다. 내 돈으로 사겠다고 실랑이하다 말고 어느새 나는 그 돈을 받아서 집을 나오고 있었다.

큼직한 장바구니를 들고 쫄레쫄레 골목을 걷는데, 비 온 직후의 공기가 상쾌해서 너무 좋았다. 6살짜리가 혼자서 생애 첫 심부름을 다녀오는 프로그램이 생각나서 웃음이 났다.

프랑스에는 감자 종류가 많기 때문에 용도를 잘 보고 사야 한다는 어머님의 가르침을 상기하며 감자를 신중하게 골랐다. 문제의 계란 3판(!)을 사고 거기에 더해 나에게 필요한 샴푸랑 치약까지 샀다. 계산도 잘하고 잔돈도 받고 직원에게 인사도 건넸다. 별것도 아닌데 어찌나 뿌듯하던지.

엄청난 무게의 장바구니를 한쪽 어깨에 끌어 메고서 집으로 돌아왔다. 어깨는 무겁지만, 마음은 가볍게.

집에 돌아왔을 때 시어머니께서는 샤워 중이셨고 나는 부엌에 감자와 계란을 정리해 두었다.

잠시 후 부엌에서 시어머니의 비명이 들려왔다.

"세상에…! 울랄라… 저 계란들을 대체 어떻게 들고 온 거니? 길에 나가서 팔려고 저렇게나 많이 사 온 거니?"

"네? 80개 사 오라고 하신 거 아니었나요…?"

시어머니께서는 숨이 넘어갈 듯이 웃고 또 웃으셨다.

"아닌데… 뭐 큰 문제는 아니야. 저거 다 먹을 수는 있어."

계란 80개라고 하셨을 때 한 번 더 확인해야 했는데… 역시 프랑스어로 숫자는 너무 어렵다.

오후에 퇴근해서 온 자서방은 내가 혼자서 마트에 다녀왔다는 이야기를 듣고 대견해하면서도 부족했던 의사소통에 대해 시어머니께 잔소리했다. 그런데도 시어머니께서는 그저 웃으셨다.

"저 계란 다 먹을 수 있어, 걱정하지 마. 너희가 좋아하는 키쉬 만들어 줄게."

저녁에 시어머니께서는 표고버섯 키쉬를 해 주셨다.

처음 먹어본 표고버섯 키쉬는 내가 먹어본 키쉬 중 최고였다. 쌍 따봉을 치켜들고 "맛있다"를 연발하다가 내가 문득 말했다.

"그런데요… 우리 앞으로 계속 키쉬만 먹게 되는 건가요…?"

내 말에 모두 웃었지만 아무도 대답은 해 주지 않았다.

저녁 식사 후, 부엌에서 시어머니의 비명이 또 한차례 들려왔다.

"오 세상에! 너 감자까지 사 온 거니? 저걸 혼자서 다 들고 왔어? 어깨에다가…?"

"네 어깨로요. 무겁긴 했는데 저는 힘이 세요."

시어머니께서는 시아버지와 자서방에게 내가 착하다고 하셨다. 힘이 세서 착하다는 소릴 듣다니.

키쉬 한 판을 만드는데 계란이 8개가 들어간다. 이제 계란 82개가 남았네….

## 시어머니의 다이어트
쿨하게 인정하심

2020년 6월 21일

코로나의 여파로 자서방의 삼촌과 시어머니의 사촌이 비슷한 시기에 돌아가셨다. 그 두 번의 장례식을 다녀오신 후부터 시어머니께서는 건강에 대해 부쩍 신경이 쓰이셨는지 다이어트를 시작하셨다. 저녁마다 주키니, 당근, 상추, 삶은 계란(마침 내가 세 판이나 사다 놓았으니) 그리고 캔 참치를 넣은 샐러드를 드신다. 그리고 그 위에는 특별한 드레싱 없이 발사믹만 살짝 뿌려서 드신다.

이렇게 대접에 샐러드를 잔뜩 담은 음식을 시어머니께서는 부다 볼이라고 부르신다.

"부처님 그릇이요?"

내 물음에 자서방이 대답했다.

"스님들이 채식하니까 그렇게 불리기 시작한 게 아닐까?"

시어머니의 부다 볼은 참 먹음직스럽다. 하지만 우리는 더 맛있는 것들을 먹었다. 소고기 스테이크, 감자튀김, 주키니 갸또 인비저블 그리고 샐러드.

"아참, 낮에 저 혼자 있을 때 옆집 남자가 다녀갔어요. 어머님 드리라고 전단지를 주고 갔어요."

"아 그 전단지! 근데 너 그 사람이랑 대화를 했어?"

"네, 사실 이이가 퇴근해 온 줄 알고 반갑게 달려 나갔다가 아니라서 살짝 당황했었는데요, 그분도 당황하시더라고요. 그러다 제가 몇 마디 했더니 프랑스어 잘한다고 칭찬해 주셨어요."

자서방은 입안 가득 스테이크를 씹다 말고 자랑스럽다며 기름이 잔뜩 묻은 입으로 내 볼에 뽀뽀를 했다.

"아, 근데 다시 보니까 생각보다 그렇게 잘 생기진 않았더라고요. 너무 말랐어요. 남자라면 그래도 배가 이 정도는 되어야지요."

자서방의 배에 손을 올리며 말했더니 스테이크를 열심히 썰고 있던 자서방이 기분이 좋아서 고개를 끄덕거렸다. 시어머니께서는 그런 자서방을 물끄러미 바라보시며 갑자기 아무런 말씀이 없으셨다. 마치 할 말은 많지만, 하지는 않겠다는 듯한 표정이었다.

시어머니의 눈빛을 고대로 받아치며 자서방이 시어머니께 말했다.

"제가 엄마한테 받은 유전자로 이 정도면 성공적이죠."

"아, 그건 인정한다."

쿨하신 우리 시어머니 때문에 온 식구들이 다 같이 웃었다.

# 성당 종소리가 구슬프더니...

## 감동 뒤엔 어김없이 웃음을 주시는 시어머니

2020년 7월 11일

시어머니와 늦은 아침을 먹고 있을 때였다. 오늘따라 동네 성당의 종소리가 길게도 이어졌다.

"장례식이 있구나…"

"이 소리가 장례식 종소리였어요?"

시어머니께서는 진지한 표정으로 고개를 끄덕이시며 말씀하셨다.

"장례식 종소리는 리듬이 달라. 더 슬프게 들리잖니. 떠나는 사람에게 작별 인사를 하는 것처럼… 그리고 길게 길게 이어지지."

정말로 종소리는 길게 이어졌고 괜히 숙연해져서 종소리가 끝날 때까지 우리는 잠시 대화를 멈추었다.

"근데 저 이 종소리 종종 들었는데요. 그게 다 장례식이었던 건가요?"

"응 최근에 꽤 자주 들렸지. 코로나 때문인지는 몰라도… 나는 저 소릴 들을 때마다 마음이 안 좋아…"

모르고 들을 땐 무심했지만 막상 알고 나니 마음이 가라앉는 것 같았다.

"나이 드는 건 참 슬픈 거야. 내가 나이에 비해 건강한 편이긴 하지만 점점 몸이 힘들어진단다. 그래도 자꾸 움직이려고 노력해. 잠시도 가만히 앉아있거나 누워서 시간을 낭비하고 싶지 않아. 여행 가고 싶은 곳도 아직 많은데…"

그렇게 말씀은 하시지만 요즘 핸드폰 게임에 푹 빠지셔서 소파에 오래 앉아 계시는 걸 나는 자주 보았다. 그 핸드폰 게임의 기록을 깨시던 날엔 너무 흥분하셔서 저녁 식사도 거르실 뻔하셨다.

그날 오후 우리는 시어머니 차를 타고 함께 장을 보러 가는 길에 성당 앞을 지나게 되었다. 장례식이 끝났는지 사람들이 우르르 나오고 있었다.

"장례식이 끝났나 보구나."

나는 화제를 바꾸고 싶었다.

"그나저나 어머님은 운전을 정말 잘하세요."

"필요하니까. 난 미셸보다 건강하고… 또 생각하고 싶진 않지만 아마 내가 더 오래 살게 될 거야. 미셸이 아플 때 내가 운전을 못한다면 낭패겠지. 너도 어서 운전 연습을 해 놓거라. 젊을 땐 남자들이 보살펴 주지만 나이가 들면 여자들이 더 오래 살더라. 나이 들면 우리가 남자들을 보살펴 줘야 해…"

교차로에서 신호를 기다리던 그때 우리 앞으로 고급 승용차 한 대가 지나갔다. 그걸 보신 시어머니께서 갑자기 외치셨다.

"저 남자 차 좀 봐라! 저 남자랑 결혼했으면 얼마나 좋았을까!"

한참 시아버지 건강을 걱정하시던 시어머니로부터 감동이 몰려오고 있었는데 어머님의 다급한 외침에 어느새 나는 사라져 가는 고급차를 함께 바라보고 있었다.

"저 남자 좋은 사람 같지 않니?"

"모르죠… 나쁜 사람일지도요…"

"차를 봐라. 무조건 좋은 사람이지!"

어느새 대화의 온도가 급격히 바뀌었다.

자서방이 시어머니께 내 앞에서 농담을 자중해 주시라고 부탁하는 걸 들은 적이 있는데 아무래도 이런 농담을 말하는 거였나 보다. 자서방은 내가 어머님의 농담을 잘 이해하지 못하고 오해할 수도 있다고 말했었다. 하지만 나는 시어머니의 농담이 너무 재미있다.

어머님은 제 스타일이세요!

## 골목주민들이 내 생일을 축하해 주었다.

평생 못 잊을 생일이었다.

2020년 5월 4일

며칠 전 온 가족이 티브이를 보고 있을 때였다.

나를 사이에 두고 양쪽에 앉아 계시던 시부모님께서 진지한 대화를 나누고 계셨다. 자세히 알아듣지는 못했지만 분명 내 생일 얘기를 하고 계셨다. 아무 생각 없이 내가 알아듣는 척 고개를 끄덕였더니 시어머니께서 깜짝 놀라셨다.

"너 알고 있었니? 네 생일날 골목 주민들이 너를 위해 생일 축하 노래를 부를 거야. 네 이름을 넣어서 말이야."

네에…?!!

봉쇄 기간 동안 매일 저녁 7시 45분이 되면 이 골목 주민들은 코로나와 싸우는 의료진들을 응원하기 위해 창가나 대문에 서서 다 함께 노래하는데, 시아버지께서 이번에 내 생일을 축하해 달라고 골목 주민들에게 단체 이메일을 보내셨다는 것이다.

"진짜요…? 제 이름은 발음이 어려운데요?"

"미셸이 프랑스어로 네 이름 발음까지 다 알려 줬어."

솔직히 그래도 반신반의했다.

그리고 오늘, 내 생일이 와버렸다.

저녁에 시어머니께서 이메일을 하나 보여주셨다. 골목 내 음악 담당자가 골목 주민 전체에게 보낸 것이었는데 오늘 노래할 3개의 곡명과 가사들 그리고 내 생일에 대한 내용이 들어있었다. 내 이름은 시아버지의 도움으로 발음하기 쉽게 프랑스어로 안내가 돼 있었다.

"진짜였군요…"

아… 부끄러운데…

우리는 식전주로 화이트 와인을 마시다가 시간에 맞춰 시아버지께서 프린트해서 나눠주신, 가사가 적힌 종이를 들고 대문 앞으로 나갔다.

첫 곡이 시작되고 있었다. 옆 옆집 발코니에 계시던 아니 아주머니께서 맨 먼저 우리를 향해 반갑게 손을 흔들어 주셨다. 아니 아주머니는 어제가 생신이었는데 시어머니께서 초콜릿 상자를 그 집 대문에 걸어두고 오셨다. 혼자 사시는 데다 코로나 때문에 더 외로운 생신이 돼버려 마음이 안 좋았는데 첫 곡이 끝나자마자 큰 소리로 생일 축하한다며 내 이름을 불러 주셨다. 그 목소리를 시작으로 여기저기에서 생일 축하 인사가 나를 향해 쏟아졌고 곧 자연스럽게 생일 축하 노래의 전주가 흘러나왔다. 에구머니나…

나는 민망한 마음에 자서방 허리를 세게 끌어안았는데 나의 든든한 버팀목인 남편은 춥다며 이를 덜덜 떨고 있었다. 노래가 끝날 때까지 나는 낯선 이웃들의 따스한 눈길을 한 몸에 받으며 애써 표정 관리를 해야만 했다. 길게만 느껴지던 노래가 드디어 끝나고 사람들이 손뼉을 쳐줄 때 나는 양손을 흔들며 입 모양으로 Merci를 여러 번 외쳤다. 어색하기는 했지만 특별한 생일로 평생 기억에 남을 것이다.

생일 축하곡이 끝나자마자 안으로 뛰어 들어가려던 자서방을 붙잡아 놓고 우리는 세 번째 곡까지 열심히 따라 불렀다.

집으로 들어갈 때 나는 어설픈 프랑스어로 시아버지께 나를 행복하게 해 주셔서 감사드린다고 말씀드렸다.

노래하는 걸 끔찍하게 싫어하는 자서방은 올해도 내 생일 축하 노래를 반절만 불러줬다. 원하는 걸 다 가질 수는 없다며 나머지는 내년에 마저 불러 준다고 했다. 뭐 매년 듣는 말이라 새롭지도 않다. 대신에 시어머니께서 영어와 프랑스어로 두 번이나 불러 주셨고 골목 주민들에게서도 특별한 생일 축하 노래를 들을 수 있었으니 올해 자서방의 음치 송은 내가 거절하련다.

## 시어머니의 리소토와 눈치 없는 남편

와 이렇게나 눈치가 없다고?

2020년 5월 18일

시어머니께서 '오늘은 꼭 리소토를 먹어야 한다'는 목소리가 머릿속에서 들린다고 하셨다.

그럼, 오늘은 리소토인가요? 저는 좋습니다!

어머님께서는 치즈를 안 먹는 자서방이 있으니, 치즈가 들어간 리소토와 안 들어간 리소토 두 가지를 따로 만들자고 하셨다. 모든 재료를 정량씩 따로 준비하셨고 심지어 육수조차 똑같이 생긴 냄비 두 개에 따로 끓이셨다. 나는 시어머니께서 하시는 걸 옆에서 보면서 똑같이 따라 했고 어머님은 내가 실수하는 것은 없는지 확인해 주셨다. 마치 나 한 사람을 위한 요리 교실이 열린 듯한 기분이었다.

자서방 리소토에는 치즈 대신 버터와 크림이 들어갔다.

"이 집에 치즈를 못 먹는 멍청이가 하나 있어서 맨날 나만 고생이구나."

"저는 그 멍청이랑 결혼했는데요?"

"그래… 걔를 너한테 팔고 나니 기분이 좋더라."

거실 쪽에서 자서방의 외침이 들려왔다.

"나 다 들리거든?"

표고버섯과 잣을 넣은 리소토는 내 입맛에 딱 맞았다. 난 리소토 특유의 단단한 쌀 알갱이를 별로 안 좋아하는데 이건 쌀이 푹 익어서 너무 좋았다. 내가 먹어본 리소토 중 최고로 맛있었다! 이처럼 나는 어머님 덕분에 매일 프랑스 레스토랑에 온 기분을 느끼며 살고 있다.

그나저나 이렇게나 맛있는데 시아버지와 자서방은 별 코멘트가 없네?

"다음에는 조리 시간을 좀 더 줄여야겠구나. 쌀이 너무 익은 것 같아…"

시어머니의 겸손한 코멘트에 눈치 없는 자서방은 고개를 끄덕이며 이렇게 말했다.

"그렇긴 한데 여전히 덜 익은 쌀도 가끔 씹히네."

그 순간 시어머니께서는 마음이 상하셨는지 서둘러 식사를 마치신 후 빈 그릇을 들고 부엌으로 쌩하니 나가버리셨다.

시아버지와 자서방은 와중에 뭔가 심각한 얘기를 나누고 있었는데 알고 보니 파스타 삶는 시간에 대한 이야기였다. 어떨 때는 덜 익고 어떨 때는 너무 익으니 시간을 잘 맞춰야 하는데 파스타 포장에 써진 조리 시간은 믿을 수가 없다는 그런 얘기를 저렇게까지 진지하게 하고 있다니… 요리하는 사람은 따로 있는데 전문가는 여기들 계셨군.

내가 먹은 식기들을 들고 부엌으로 갔을 때 시어머니께서 말씀하셨다.

"이렇게 정성 들여서 만들었는데 남자들은 아무 말이 없네. 내 남편이나 네 남편이나 똑같아. 별로 맛이 없나 봐."

"전 진짜 너무 맛있었어요. 쌀도 제 기준으로는 완벽하게 익었고요."

다들 자리를 뜨고 난 후에도 자서방은 여전히 앉아서 리소토 냄비를 긁어먹고 있었다. 저렇게나 맛있었으면서 표현에는 인색했던것이다. 으이구…

심심할까 봐 말동무가 돼 주려고 옆에 가서 앉았더니 자서방이 말했다.

"와이프, 이제 리소토도 만들 줄 알게 된 거야?"

"왜? 해달라고 하려고?"

"와, 할 줄 아는 요리가 또 늘었네! 우리 와이프가 할 줄 아는 요리리스트를 한번 만들어 볼까? 나 매일 메뉴판 보면서 주문하면 되는 거지?"

자서방의 말이 채 끝나기도 전에 나는 벌떡 일어나서 혼자 먹게 놔두고 나와버렸다.

## 농담으로 다 해결하시는 시어머니
사이다입니다!

2020년 5월 30일

시어머니께서 자서방에게 장보기 심부름을 시키신 모양이다. 자서방이 가기 싫다고 어머님께 대놓고 투덜거리고 있었다.

"토요일에는 마트가 복잡하다고요. 지난주에도 줄을 한참 서서 들어가야 했지만 결국 엄마가 원하시는 콜라도 못 찾았잖아요."

불평하는 아들을 보면 화가 나실 법도 한데, 시어머니께서는 대수롭지 않은 표정으로 나를 바라보며 말씀하셨다.

"넌 운이 좋아. 참 매력덩어리야 네 남편."

긴장하고 바라보고 있던 나는 그 한마디에 웃음이 터져버렸다. 나라면 한 대 쥐어박고 싶었을 것 같은데 우리 시어머니는 농담으로 넘기신다.

"네 매력덩어리지요… 어머님께서 만드신 작품인데요."

내 말에 그저 빙그레 웃으시는 시어머니.

"너 나랑 마트 갈래?"

"네."

"토요일인데도 갈 거야?"

"네."

"봐라! 네 아내는 이렇게나 친절한데!"

뒤늦게 눠우친 자서방은 마트에 가겠다며 주섬주섬 일어났지만, 시어머니께서는 필요 없다며 차 키를 챙겨 쿨하게 나가버리셨다.

"너한테 팔았으니, 나에겐 천만다행이지… 넌… 행운을 빈다."

우리 시어머니께서 자서방이 얄미우실 때마다 나한테 하시는 말씀이다.

자서방 말대로 토요일이라 마트에 사람이 많긴 했다.

우리는 장을 다 본 후 계산대 앞에 길게 늘어진 줄의 맨 뒤에 섰다. 코로나 정책으로 앞사람과 1.5미터 간격을 두고 서 있었는데 그때 한 중년아저씨가 우리 앞에 새치기를 하고 끼어드는 게 아닌가!

"저기요 무슈, 우리 여기 줄 서 있어요."

어머님의 말씀에 그 아저씨는 이렇게 대답했다.

"아 나는 이거 세 개만 사는 거라…"

그때 우리 시어머니의 대답은 이러했다.

"오 저런, 가서 더 사 오세요, 그럼."

그 아저씨는 불만스러운 표정으로 말없이 사라지셨다.

오 어머님 멋지셔요!

## 나를 위한 시어머니의 특별 파스타
덕분에 나는 좋은 소식을

2020년 6월 5일

요즘 너무 안 움직여서 그런가… 어제 시어머니께 변비약을 얻어먹었는데도 여태 소식이 없었다.

"그럼 오늘 점심 메뉴로 내가 특별한 파스타를 만들어줘야겠다. 이건 섬유질이 들어간 파스타란다. 너에게 꼭 필요한 거지. 6분만 끓이면 되니까 금방 해 줄게."

나에게 다정한 목소리로 말씀하시던 시어머니께서 거실에 있는 자서방에게는 점심 식사 테이블을 세팅하라고 거칠게 소리치셨다.

"제가 할게요!"

높은 찬장에서 접시 4개를 조심스럽게 꺼내려던 나는 그만 시어머니께서 개봉 후 그 위에 올려 두셨던 파스타 봉지를 바닥에 떨어트렸다.

파스타의 절반 이상이 바닥 여기저기로 쏟아져 버렸다. 일단 나는 접시를 들고 식탁으로 달려가면서 외쳤다.

"다 제가 주워서 제가 다 먹을 거예요! 제가요!"

내 목소리가 너무 컸나보다. 부엌과 거실에서 웃음소리가 들려왔다.

어머님께서는 바닥에 쏟아진 파스타들을 나와 함께 담으시며 말씀하셨다.

"괜찮아 괜찮아. 이거 어차피 너 혼자 먹을 거라서. 호호호"

시어머니께서는 섬유질 파스타에 시금치까지 섞어서 오직 나만을 위한 건강한 요리를 만들어주셨다.

레드와인에 오래 익힌 비프브르기뇽과 당근 샐러드도 함께 먹었다. 나만을 위해 요리해 주신 거니까 냄비에 남은 파스타도 모조리 싹싹 긁어 먹었다. 그리고 맛있기도 했다.

시어머니의 건강 파스타 덕분이었던지 오후에는 기다리던 좋은 소식을 받을 수가 있었다.

화장실에 다녀왔을 때 웃으며 배를 문지르면서 시어머니께 말씀드렸다.

"저… 드디어 좋은 소식이 있었어요."

시어머니께서 크게 웃으시며 잘됐다고 축하해 주셨다. 좋은 소식이라는 표현이 귀엽다고 하셨다.

어머님 덕분입니다.

## 누아무티에에서 오신 손님

괭장히 부자인 데다 겸손하기도 하지. 그런데

2020년 6월 24일

아침 일찍 친정엄마와의 전화 통화가 길어져서 느지막이 내려왔더니 거실에 손님이 한 분 계셨다. 수수한 옷차림의 중년 남성이었는데 혼자서 뭔가에 관해 이야기하고 계셨고 시부모님과 자서방은 흥미로운 얼굴로 경청하고 있었다. 인사를 나눈 후 나도 옆에 앉아서 잠시 듣는 척하다가 결국은 알아듣지를 못해서 슬그머니 자리에서 일어났다.

그분은 특이하게도 소금을 잔뜩 가져오셨는데 떠나신 후 시어머니께서 나에게도 소금을 나눠 주셨다.

자서방이 알려주기를, 이 소금은 누아무티에(noirmoutier)라는 섬에서 생산된 고품질의 소금이고, 특히 작은 소금은 Fleur de sel, 즉 소금의 꽃이라는 이름으로, 염전 표면층에서 수작업으로 채취하는 소금이라고 했다. 감칠맛이 좋은데 가격이 비싸 요리용으로 사용되기보다는 테이블 위에 올려놓고 완성된 요리에 뿌려 먹는 용도라고 한다.

"그분은 소금 사업을 하시는 거야?"

"아니, 누아무티에에 가셨다가 지금 막 돌아오셨는데 소금을 주려고 들르신 거래. 부모님이랑 아주 친하셔."

"누아무티에로 여행을 가셨던 거야?"

"그곳에 집이 있으셔. 낭시에도 집이 있으시고."

자서방은 구글 지도를 열어서 누아무티에섬의 위치를 짚어주었다.

"부자셨구나!"

"맞아, 부자셔. 누아무티에는 집값이 비싸거든. 그분은 주로 낭시에서 지내기 때문에 누아무티에 집은 오랫동안 비어있지. 그래서 부모님께 집 열쇠를 드릴 테니 아무 때나 편히 이용하시라고까지 했는데 아직 부모님은 한 번도 안 가셨어."

"와, 집이 두 도시에 있다니…"

그때 시어머니께서 다가오시며 말씀하셨다.

"네 개란다! 집이 네 개가 있어. 파리에도 집이 있고, 부르주에도 있지!"

나는 눈이 휘둥그레져서 말했다!

"진짜 부자네요!"

"응, 근데 부인이 있어!"

시어머니께서 나를 향해 손바닥을 세우시며 딱 잘라 말씀하셨다.

나는 잠시 눈을 껌뻑껌뻑하다가 뒤늦게서야 이해하고 크게 웃었다.

"저런! 안타깝네요!"

내가 시어머니의 농담에 이렇게 받아치자 자서방과 시어머니 모두 함께 깔깔 웃었다.

"굉장히 부자인데도 사람이 얼마나 겸손하고 친절한지 몰라. 또 검소하고 말이야. 정말 좋은 사람이지. 근데… 부인이 있어."

이렇게 부자인 줄 알았다면 아까 좀 더 친근하게 대화도 나누고 친해질 걸 그랬다. 시부모님을 따라서 누아무티에에 휴가를 갈 수 있게 될지도 몰랐는데!

## 새 출발, 준비되었지?

### 시어머니께서는 내가 필요하신데

2020년 7월 10일

시부모님께서는 지인의 초대를 받아 외출하시고 오늘 저녁 식사는 나와 자서방 둘이서 먹게 되었다.

시어머니께서 우리가 먹을 비프 브루기뇽과 샐러드까지 준비해 놓고 가셨기 때문에 식사 준비를 따로 할 필요는 없었다. 대신 우리는 식기세척기 안에 세척이 완료된 그릇들을 먼저 정리하기로 했다.

"이건 어디에 놓지?"

"이거는?"

자서방은 포크와 나이프만 정리할 줄 알았지, 나머지 접시, 샐러드 볼, 쟁반, 잔 등이 어디로 가야 하는지는 전혀 모르고 있었다.

"그건 저쪽 찬장, 그건 요 앞에 세 번째 서랍, 아 그건 다이닝룸에 있는 선반으로 가야 돼."

막힘없이 모든 질문에 대한 답을 술술 말하고 있는 나에게 자서방이 말했다.

"어떻게 와이프는 모든 식기들의 위치를 다 알지? 나는 이 집에 더 오래 살았는데도 모르는데."

"사실 나는 어머님보다도 더 잘 아는 것 같아. 요즘에는 나한테 뭐가 어디 있는지 자주 물어보시거든. 심지어 어머님께서 사용 후 아무데나 치워 두신 것들도 내가 기억하고 있다가 알려 드리기도 하지. 그럴 때마다 나는 항상 말씀드려. 어머님은 내가 필요하시다고 말이야. 그럼, 어머님도 그 말이 맞다고 하시지."

나와 시어머니는 함께 지내는데 어느새 익숙해진 것이다.

아파트를 구하고 이사할 날짜가 코앞으로 다가오자 설레기도 하지만 고양이들이나 시부모님을 생각하면 아주 서운하다. 불과 걸어서 5분 거리지만 말이다.

시어머니께서 만들어 놓고 가신 비프 브르기뇽은 역시 맛있었다. 감탄하며 먹다 말고 자서방이 짓궂게 웃으며 말했다.

"와이프 이제부터 요리해야 되네 으흐흐…"

"남편 이제부터 그거 먹어야 하네 으흐흐…"

요리해야 하는 자와 그걸 먹어야 하는 자가 같이 시원하게 웃었다.

## 시댁에서의 마지막 저녁 식사

"우리 하룻밤만 더 자고 가자."

2020년 7월 14일

우리 부부는 어제 새집으로 이사를 했다. 하지만 결국 잠은 시댁에 와서 잤다.

오늘도 새집에서 청소와 짐 정리를 했는데 막상 온기가 없는 그 집에서 첫 끼를 요리해 먹고 잠을 자려고 하니 기분이 묘했다. 결국 우리는 시댁에서 딱 하룻밤만 더 자기로 하고는 오후 늦게 시댁 대문 벨을 눌렀다.

우리가 새 집에서 잘 거라 예상하셨던 어머님께서는 평소보다 더 활짝 웃으며 우리를 맞아주셨다.

"이럴 거면 그냥 여기서 계속 같이 살지 그러니."

거실에는 샴페인 테이블이 차려져 있었는데 잠시 후 베르나르 아저씨께서 부인과 함께 찾아오셨다.

샴페인을 마시며 담소를 나누는 도중 시어머니께서 가족 앨범 몇 권을 가지고 오셨다. 그중에는 내가 처음 보는 것도 있었는데 앨범을 보다가 나는 혼자 속으로 감동했다. 앨범마다 내 사진들이 어찌나 많은지… 게다가 우리 결혼식 앨범을 내가 진작에 만들어 드렸음에도 불구하고 본인께서 따로 하나를 더 만드신 것을 보니 시어머니께서 그날을 얼마나 소중하게 생각하시는지가 느껴졌다. 시어머니께서는 모든 손님들에게 그리하셨을 것처럼 사진 한 장 한 장을 손님들께 설명해 주셨고 우리 친정 식구들까지 소개를 하셨다.

베르나르 아저씨네는 저녁 식사 전에 떠나셨고 우리는 잠시 후 테라스에서 마지막 저녁 식사를 했다.

그런데 나는 이미 식전주에 취해서 식사는 하는 둥 마는 둥 했고, 알딸딸한 정신에 헛소리가 자꾸 나왔다.

"전 취했어요. 그만 먹어야겠어요. 음… 다들 식사하시는데 즐거우시라고 제가 노래나 한 곡 할까요?"

"그래, 그거 좋구나."

어머님의 대답에 무슨 노래를 부를지 고민하고 있었는데 다행히도 (?) 자서방이 나를 말려 주었다. 안 말려주었다면 정말로 잊을 수 없는 마지막 밤이 되었을지도 모르겠다.

시어머니께서는 일부러 작별 인사 비슷한 멘트들은 모두 차단하셨다. 바로 코앞으로 이사 가면서 그것도 작별이냐고 하셨다. 대신 아침에 일찍 떠날 우리를 위해 챙겨갈 물건들을 한 번 더 상기시켜 주셨다.

"내일 아침에 냉동실에서 가염 버터 꺼내 가는 거 잊지 말고, 베개는 내가 주문한 게 아직 안 왔으니, 너희가 여기서 쓰던 걸 우선 가져가거라. 잼이랑 토마토소스도 더 담아 놨으니 잊어버리지 말고."

"네. 아참, 수건도 몇 개 가져갈게요."

친정엄마도 아닌 시어머니께 이렇게 편하게 요구하는 나 자신이 나도 놀랍다.

나는 살짝 취한 정신으로 정원에 내려가서 고양이들과 놀았다. 그리고 동시에 테라스에서 여전히 식사 중인 가족들의 모습을 눈에 꼭꼭 담았다.

밤이 깊어졌을 때 시부모님께서는 침실로 들어가셨고 자서방은 저녁 공기가 좋으니 조금만 더 있자고 했다.

우리 둘은 진한 장미 향기 가득한 테라스에 남아 오래오래 이야기를 나누었다. 고양이들도 우리가 자러 갈 때까지 함께 있어 주었다.

내일부터는 진정한 프랑스 생활이 시작되는 것이다. 우리 힘으로 말이다.

# Ⅲ. 둥지를 나왔지만 여전히 혼자는 아니다

## 나의 또 다른 부모님, 시부모님

내 자식들과 똑같은 온도로 며느리까지 품어 주신다.

한국에 1년짜리 장기 배우자 비자를 받고 들어온 나는 프랑스 입국 후에 OFII (Office Français Immigration Intégration)라고 하는 이민국 기관에서 신체검사 및 인터뷰, 프랑스어 시험 등등을 치러야 하는 과정을 앞두고 있었다.

그러던 어느 날 OFII로부터 소환장을 이메일로 받게 되었는데 방문 일정과 세부 내용이 길게 프랑스어로 적혀 있었다.

자서방도 출근한 상태였고, 구글 검색기를 이용해서 조금씩 내용을 이해해 가며 갖은 인상을 쓰던 중 마침 시어머니로부터 아침 인사 메시지가 왔다. 나는 이메일을 시어머니께 전달해 드리고 봐주시도록 부탁을 드렸다.

"오, 드디어 네가 프랑스인이 돼 가는 첫 단계를 시작하게 되었구나! 축하한다."

어머님께서는 중요한 내용들을 내가 알아듣기 쉽게 영어로 설명해 주셨다. 내가 찾아가야 할 곳은 낭시가 아니라 이웃 도시인 메스(Metz)였고 서로 다른 두 장소로 오전과 오후에 각각 방문해야 만 했다.

"아무 걱정 말거라. 이날 우리가 너와 같이 가 줄게. 미셸과 상의해서 일정을 조율해 보고 알려줄 테니 기다려 보렴."

우와…

세상 든든한 시부모님이시다.

저녁에 퇴근한 자서방은 내 이메일을 뒤늦게 보더니 침통한 표정을 지었다. 휴가를 내야겠다며 혼자서 중얼거리는 자서방에게 나는 시부모님께서 같이 가 주실 거라고 말했다. 자서방은 한시름 던 표정으로 바로 시부모님께 전화를 드려 확인했다.

"엄마가 너는 아무 걱정하지 말라고 하셨어. 프랑스어 테스트도 그냥 너 하는 만큼만 보여주면 된다고 나더러 잘 말해 주래. 또 너 점심 식사 걱정할 것 같아서, 그날 봐서 레스토랑을 가거나 혹은 일정이 빡빡하다면 샌드위치라도 싸 주실 거라고 하시네. 내가 할 일은 없는 것 같아. 너 그날 갈 때 준비 서류만 내가 도와줄게. 하여간 우리 엄마 진짜 꼼꼼하시다."

나는 꽤 독립적으로 자랐다.

어릴 적 학교 마칠 때 비가 아무리 억수같이 쏟아져도 나는 한 번도 부모님께 전화를 드린 적이 없었고 당연한 듯이 비를 맞고 집으로 갔다. 어쩌다 보니 나는 그렇게 자랐다. 사정이 있어서 중학교 때부터 언니와 자취를 시작했는데 자취 첫날밤에 언니 몰래 밖에 서서 펑펑 울었다. 그리고 생각했다. 이제 앞으로는 부모님과 같이 살며 응석 부릴 기회는 없게 된 거라고. 고등학교에 가고 대학교에 가고 그 후에는 취업과 결혼… 이제는 내 힘으로 뭐든 해야 하구나! 하며 스스로를 다짐시켰다. 나는 정말 그날 밤 딱 한 번만 실컷 울고 나서 다음 날부터 직접 밥도 해 먹고 도시락도 싸서 씩씩하게 학교에 다녔다. 그러다 운이 좋게도 성인이 된 후에 온 식구들이 다 같이 모여 살 수가 있게 되었을 때, 그때 나는 정말 얼마나 좋았는지 모른다. 하지만 부모님께 의지하기보다는 언제나 내가 부모님의 보호자라고 생각하며 살아왔다.

그런 내가 우리 시부모님을 만나게 된 것이다.

이제 중년이 다 된 자식들 앞에서도 당연한 듯이 내리사랑만 주시는 분들. 사실 나와는 피 한 방울 섞이지 않았지만 내 자식들과 똑같은 온도로 나까지 품어 주신다. 세상에 이런 따뜻함이 다 있구나 싶어서 눈물이 핑 돌 때가 종종 있다. 이걸 쓰는 지금도 눈물이 맺히는 중이다.

나는 내 부모님 앞에서도 해 보지 않은 어리광을 시부모님께 부려 보기도 하고 또 이분들은 본인들의 방식으로 다 받아 주신다.

항상 괜찮다고 생각했지만 나도 부모님께 의지하고 싶고 어리광이 부리고 싶었나 보다. 새삼 이렇게 좋은 시부모님을 만날 수 있게 해준 자서방에게 고마워진다.

## 시부모님과 메스에 다녀오던 날

### 밥값은 꼭 내가 내고 싶었는데

2020년 8월 7일

OFII 헝데부가 있는 날 나는 아침 일찍 시부모님과 함께 메스로 향했다.

날씨가 유난히 좋았다. 프랑스어 테스트를 앞두고 살짝 긴장한 상태였는데 시아버지께서 운전하시는 차를 타고 낯선 도시로 향하고 있으니, 마치 소풍이라도 가는 것처럼 기분이 들떴다. 나는 차 안에서 큰 소리로 자기 소개하는 것을 연습했고 시어머니께서는 내 프랑스어 발음을 고쳐 주셨다.

메스는 낭시와 차로 한 시간 정도 걸리는 가까운 도시지만, 건물들의 분위기는 사뭇 달랐다. 아버님께서는 알자스처럼 이곳 역시 한때 독일에 속해있던 도시라 독일식 건물들이 많다고 하셨다.

신체검사를 받는 장소에 도착했을 때 내가 말했다.

"같이 들어가시는 게 낫지 않을까요? 밖에 덥잖아요."

"호호 너 혼자 가기 겁나서 그러는 거지? 안 그래도 내가 같이 들어가려고 했단다. 걱정 말거라."

역시 내 속을 꿰뚫어 보신다.

신체검사가 끝난 후 오후 일정까지 약 두 시간 정도의 여유가 있었다. 우리는 메스 시내로 가서 우선 OFII사무소 위치를 확인한 후 그 근처에서 점심을 먹기로 했다.

기차역 맞은편에 있는 근사한 노천 레스토랑을 발견했다. 커다란 나무 그늘아래 바람이 시원한 곳이었다.

코로나 때문에 그동안 외식을 피해 왔는데 시부모님께서 나 때문에 어쩔 수 없이 외식을 하게 되셨다. 그런데 사실 오랜만의 외식이 반갑기도 했다. 그것도 이렇게 날씨 좋은 날 야외에서 외식을 하다니!

시아버지께서는 멜론 잠봉을 시키셨고 시어머니께서는 니스 샐러드를, 그리고 나는 며칠 전부터 먹고 싶었던 햄버거를 시켰다. 햄버거가 커서 감자튀김은 시아버지께 덜어드렸는데, 시어머니께서는 내 접시 위로 참치와 샐러드를 듬뿍 덜어 주셨다.

모든 음식이 너무 맛있었다!

헝데부 시간이 다 되어갈 때쯤 아버님께서 디저트로 미라벨 타르트를 주문하셨다. 혼자 먼저 일어나야 하는 나는 미리 계산을 하고 싶어서 점원에게 계산서를 요청했다. 하지만 시어머니께서 점원을 다시 돌려보내셨다.

"프랑스에서는 원래 디저트까지 먹는 게 다 끝나야만 계산서를 준단다. 그전에는 절대 계산을 못 하지."

시아버지를 쳐다봤더니 시아버지께서도 웃으시며 그 말이 맞는다는 듯 고개를 끄덕이셨다.

잠시 후 점원이 시아버지의 디저트를 가지고 왔을 때 나는 한 번 더 계산서를 요청했다. 그랬더니 어머님께서 점원을 다시 돌려보내시고는 나에게 단호한 표정으로 말씀하셨다.

"네가 이걸 계산하게 된다면 우리는 너를 버리고 갈 거다. 넌 저기 가서 혼자 기차를 타고 낭시로 돌아와야 해."

맞은편의 기차역을 가리키며 말씀하셨는데 시아버지는 여전히 웃으셨고 나는 결국 순순히 고개를 끄덕였다.

"오늘 두 분께서 저 때문에 고생하셔서 죄송하고 감사해서 그렇지요."

"자, 이제 가서 긴장하지 말고, 가서 잘하고, 끝나면 연락 다오. 우리가 너를 데리러 건물 앞으로 갈 테니."

OFII에서는 필기시험과 다양한 인터뷰들이 이뤄졌는데 꽤 오래 걸렸다. 쉬는 시간에 두 분이 걱정되어 메시지를 보냈더니 어머님께서 이렇게 답장을 주셨다.

[우리는 걱정 말거라. 돈을 펑펑 쓰면서 아주 좋은 시간을 보내고 있으니까. 네가 늦게 나올수록 우리의 지갑은 비어 갈 거야. 옷을 두 벌 샀고, 가구점에 가서 작은 테이블도 샀단다. 그리고 지금은 빵집에 가

는 길이지.]

약 3시간 반쯤 후 모든 일정이 끝났고 시부모님을 다시 만날 수가 있었다. 낭시로 출발하기 전 우리는 노천 레스토랑에 가서 시원한 맥주를 마셨다.

어머님께서는 내가 받아온 서류들을 꼼꼼히 확인해 주셨고 긴장이 풀려 후련해진 나는 그곳 인터뷰가 어땠는지에 대해 두 분께 들려 드렸다.

나는 점원이 우리 테이블로 오기 전부터 이미 카드를 올려놓고 있었다. 맥주값이라도 내가 계산해야지… 하지만 정작 점원에게 카드를 내밀었을 때 시어머니께서는 현금을 더 가까이 내미셨고 점원이 망설이고 있을 때는 이렇게 말씀하셨다.

"이 카드는 도난 카드니까 받지 말아요."

점원은 큰소리로 웃으며 시어머니의 현금을 선택했고 내 뚱한 표정에 시부모님 두 분은 큰소리로 웃으셨다. 이번에도 역시 계산은 실패했다.

돌아오는 차 안에서 시어머니께서는 내일 아침에 먹으라며 커다란 빵을 하나 내미셨다. 건포도와 크림치즈 조각들이 박혀있는 달콤한 빵이었다. 와 맛있겠다…

OFII소환장을 처음 받았을 때는 그렇게나 긴장되고 걱정되더니 결국은 시부모님 덕분에 아주 즐거운 나들이를 다녀온 기분이었다.

감사합니다!

## 내가 친구가 없어 걱정이라는 남편
"나 친구 있어"

2020년 8월 25일

퇴근해서 돌아온 자서방이 들뜬 목소리로 나에게 말했다.

"동료 중 한 명이 한국인 친구가 있다고 하더라? 와이프랑 처지가 비슷하니 서로 소개해 주면 좋겠대. 어때? 같이 만나볼래?"

내가 굉장히 좋아할 거로 생각했던 자서방은 시큰둥한 내 반응이 의외라는 듯 말했다.

"와이프는 친구가 필요해…"

"나 친구 있어."

"우리 엄마는 친구가 아니야."

앗, 내가 어머님을 말하고 있다는 걸 어떻게 알았지?

"친구 맞는 거 같은데… 그리고 남편도 있잖아. 나 진짜 괜찮아."

"와이프는 친구가 있어야 돼. 방콕에 살 때도 항상 친구가 많았잖아. 나 솔직히 좀 걱정돼. 나나 엄마가 못 채워주는 부분이 분명히 있단 말이지. 가끔 외출해서 또래 친구랑 맥주나 커피도 마시고 수다도 떨고 해야지."

나는 집에서 매일 프랑스어 공부하고 블로그 쓰고 집안일 하는 걸로도 충분한 것 같은데….

"사실 엄마도 와이프 걱정이 많으셔."

"아 그래서 자꾸 나더러 행복하냐고 만날 때마다 물어보시는구나!"

우리 시어머니는 꼭 한 번씩 걱정스러운 표정으로 나에게 물으신다.

너 행복하니…?

프랑스에 사는 거 만족하니…?

안 외롭니…?

남편 말을 듣고 보니 이제야 어떤 마음으로 물으신 건지 이해가 되기 시작했다. 시어머니께서는 일부러 내가 외로울까 봐 더 많이 연락하시고 꽃도 자주 사다 주시는 거였나 보다. 이렇게나 나를 아껴주는 가족이 생겼는데 내가 외로울 리가!

괜찮다는 내 말에도 여전히 미간을 찌푸리고 있던 남편에게 내가 말했다.

"살다 보면 친구들도 자연스레 생기겠지. 그러면 난 당신이 소외감 들 정도로 나돌아 다닐 거야. 근데 지금은 왠지 집에서 프랑스어 공부도 하고 남편 좋아하는 음식도 만들면서 집안일을 하는 게 더 좋아. 지금은 이게 우선순위인 것 같아. 나 지금도 행복하니까 걱정하지 마."

정작 자서방은 10년 만에 복귀한 직장에 다시 적응하느라 고군분

투 중이다. 남편을 위해 열심히 내조해 주는 포근한 와이프가 되어주고 싶어서 퇴근해 올 때마다 더 환하게 웃어주고 세게 안아주는 것 또한 내 하루 중 중요한 임무가 되었다.

나 진짜 행복하다니까…!

## 일요일 아침, 빵을 들고 시댁으로 갔다.

소박한 일상의 행복

2020년 9월 13일

주말에도 우리 부부는 습관처럼 일찍 일어난다. 특히 요즘에는 이른 아침부터 활기를 주체 못 하는 우리 고양이 무스카델 때문에 더욱 그렇다. 일요일인 오늘도 아침 6시에 전원 기상했다. 아침도 먹고 무스카델이랑 놀다가 미드도 한 편 봤는데 아직 8시밖에 안 됐네.

자서방이 말했다.

"다음 주에 프랑스어 수업 시작하지? 수업하는 장소에 미리 같이 답사 가볼까? 혼자 어떻게 찾아가는지 알려줄게."

OFII에서 무료 프랑스어 수업을 배정해 줬는데 다행히도 수업 장소는 집에서 그리 멀지 않았다. 나이 마흔에 학교에 간다고 생각하니 괜히 설렌다.

"나 학교 가는데 새 책가방도 사줄 거야?"

자서방은 대답 대신에 킥킥 웃더니 차키를 챙겼다. 그리고나서 자서방은 시아버지께 전화를 드려서 빵을 사다드리겠다고 말씀드렸다. 대견한 마음에 내가 궁둥이를 팡팡 두들겨 주었다.

"부모님은 항상 우리를 챙겨 주시는데 이런 날도 있어야지…."

"트램을 타고 두 정거장을 가야 해. 이렇게 직진하다가 한번 좌회전할 거야. 거기서 내려서 이쪽으로 걸어오면… 도착! 집으로 돌아올 때는 이쪽 길로 나와도 돼."

"상세하게 알려줘서 고마워."

"난 최고의 남편이니까."

"그럼 날씨도 시원한데 차는 놓고 최고의 남편이랑 손잡고 걸어올 걸 그랬다."

"…음 나는 그 정도로 최고의 남편은 아닌 것 같아."

참고로 우리 남편은 걷는 것을 싫어한다.

블랑주리 앞에 주차할 곳이 마땅치 않아서 나 혼자 빵 심부름을 다녀왔다. 생애 첫 시도라 조금 긴장되기는 했지만 자서방이 코칭 해준 대로 바게트 3개랑 크루아상 4개를 당당히(?) 구입하는 데 성공했다.

고소한 냄새를 풍기는 따끈한 빵 봉투를 안고 시댁으로 갔더니 시부모님께서 함박웃음을 지으시며 반겨주셨다.

나는 이미 아침을 먹었지만… 시어머니를 따라 커피를 내려와서 여전히 따끈한 크루아상 하나를 입에 물었다. 맛있다!

한동안 대화가 오간 후 시어머니께서 습관처럼 물으셨다.

"뭐 필요한 거 없니?"

"없어요. 어제도 잔뜩 주셨잖아요."

"토마토 다 먹었으면 더 줄까?"

그때 시아버지께서 벌떡 일어나 정원으로 나가시더니 주키니 하나를 따오셨다. 나는 감사히 두 손으로 넙죽 받았고, 자서방은 내가 시댁을 마트로 착각하고 있다며 농담했다.

"으악 천장 유리에 저게 뭐예요? 새똥이 저렇게 크다고요?"

어마어마한 크기의 새똥을 발견하고 깜짝 놀랐더니 시어머니께서 웃으시며 말씀하셨다.

"안 그래도 미슈도 저걸 보고 깜짝 놀라더라고. 날아다니는 소가 있나 봐! 호호호."

화장실에 다녀온 자서방에게 내가 손가락으로 천장을 가리켰더니 자서방의 두 눈도 휘둥그레졌다.

"새가 저 정도를 싸려면… 엄청나게 먹었겠다. 엄청 엄청!"

새똥 하나에도 온 식구들이 배꼽을 잡고 웃었다.

우리가 시댁을 나설 때 시어머니께서는 굳이 빵값을 가져가라며 돈을 들고 달려 나오셨고 우리는 웃으며 도망갔다.

오랜만에 시부모님과 둘러앉아 느긋하게 커피도 마시고 소소한 농담도 건네는 이 짧은 시간이 참 좋았다.

잠시 후 성당 종소리가 평화롭게 들려왔다.

## 잘생긴 옆집 남자와 우리 시어머니

### 잘생기고 친절하고 다 갖춘 남자

내가 프랑스에 온 지 얼마 안 되었을 때였다.

시어머니를 따라서 장을 보고 돌아왔는데 어머님께서 나에게 딸기 한 상자를 건네주시며 이렇게 말씀하셨다.

"너 이거 옆집에 좀 갖다주고 올래?"

"제가요? 혼자서요?"

"너 이제 프랑스어 하잖니."

대꾸할 말이 궁색했던 나는 그냥 고개를 도리도리 흔들었다. 결국 어머님께서 옆집을 향해 앞장서셨고 나는 딸기를 들고 그 뒤를 쫄레쫄레 따라갔다.

"며칠 전에 바게트를 사서 우리 집 대문에 걸어두고 갔더라고. 고마워서 답례하는 거야."

옆집 남자에게 딸기를 건네주고 나오는 길에 시어머니께서 나직하게 속삭이셨다.

"잘 생겼지?"

"네."

"그래서 내가 혼자 다녀오라니까…"

아 그런 깊은 뜻이…

그로부터 얼마 후, 바쁜 자서방 대신 시어머니께서 나를 대형마트에 태워다 주시던 날이었다.

"너 혹시 바게트 필요하면 빵집에도 들를까?"

"아니요, 저희는 괜찮아요. 어제 자서방이 빵 구워놨거든요. 호두를 넣었는데 맛있더라고요."

"그래. 실은 우리도 오늘은 바게트를 안 사도 된다. 옆집 남자가 글쎄 아침 일찍 빵을 사다 줬지, 뭐니. 요즘 자주 그래. 젊은 사람이 아주 친절하고 얼굴까지 잘생겼지…"

"정말 친절하네요. 그런데요… 그 사람은 왜 빵을 자꾸 사다 주는 걸까요…? 혹시 시부모님 두 분 다 기력이 없으셔서 외출이 힘드실 거로 생각하는 걸까요?"

정작 친자식은 연세 드신 어머님께 운전까지 부탁하는데 옆집 남자는 시부모님이 염려스러워서 빵까지 사다 주고 있다니 며느리로서 죄책감이 살짝 들었다.

그런데 우리 시어머니께서는 박장대소를 하시며 이렇게 말씀하셨다.

"나도 그 생각이 들더라! 우리가 너무 늙어서 빵집까지 못 갈 거로 생각하나 봐. 그래도 괜찮아. 마이 달링이 찾아오니까 나는 좋아. 우리가 늙었다고 생각해도 돼! 괜찮아 괜찮아."

오늘도 우리는 차 안에서 한참을 웃고 또 웃었다.

## 시아버지께서 응급실에 실려 가셨다.

여전히 당신은 슈퍼맨

2020년 9월 19일 토요일

시어머니께서 다급한 목소리로 전화를 주셨을 때 우리 부부는 자서방의 친구 집 거실에서 맥주를 마시고 있었다. 시아버지께서 넘어지셨는데 지금 구급차를 타고 응급실로 가는 중이라고 하셨다. 우리는 당장 그리로 달려갔다.

제발 별일 없으시기를…

길에서 넘어진다는 것이 평범한 사람들에게는 별일이 아니겠지만 장애를 가진 우리 시아버지께는 큰 부상으로 이어질 수 있어서 병원으로 향하는 우리의 심장은 계속해서 쿵쾅거리고 있었다.

센트럴병원 응급실에 도착했을 때 밖에서 초조하게 서 계시는 시어머니의 모습이 보였다. 코로나 때문에 함께 들어가지는 못했다고 하셨다. 많이 놀라셨을 텐데도 애써 덤덤한 표정을 지으시며 오히려 우리를 안심시키셨다.

"괜찮아, 별거 아니야. 우리는 시내에 나갔었단다. 미셸 바지도 사고 질 좋은 소고기도 샀지. 그러다 내가 시장에 잠깐 혼자 들어가서 구경하고 있을 때였어. 미셸은 밖에서 나를 기다리며 커피를 마시고 있었는데 낯선 사람으로부터 전화가 왔더구나. 미셸이 다쳤으니 빨리 오라면서… 달려가 보니 행인들이 이미 구급차도 불러놓은 상태였어. 그저 넘어진 것뿐이야. 요즘 부쩍 자주 넘어져… 처음이 아닌데… 그 사람들이 호들갑 떤 거야…"

우리 시아버지께서는 한쪽 팔과 한쪽 다리에 장애가 있으신데 평생 정상인과 다름없이 살아오셨다.

몇 해 전 겨울, 눈이 조금 내리다가 그쳐서 내가 실망했더니 아버님은 당장에 나를 차에 태우고 눈이 많이 쌓인 공원에 데려다 주셨다. 그러고는 그 넓은 공원을 우리 부부와 함께 걸으셨다. 걸음은 좀 느리셔도 지팡이를 쓰거나 누군가의 부축을 받는 법도 없으시다. 무거운 것도 시어머니를 대신해서 나르시고 잼 뚜껑이 안 열릴 때도 아버님은 도구를 이용해서 뚝딱 열어주신다. 고장 난 무언가를 수리하다 잘 안될 때 자서방은 아버님께 도움을 요청하는데 아버님께서는 공구 상자를 들고 달려와서 뚝딱 해결해 주신다.

몇 해 전 우리가 시부모님을 위해 태국 꼬리뻬섬 여행을 계획하고 있을 때 자서방은 말했다. 편하게 갈 수 있는 다른 섬들이 많이 있지만 꼬리뻬는 꼭 부모님께 보여드리고 싶다고. 꼬리뻬까지의 여정은 쉽지 않았다. 배를 갈아타야 하는데 타고 내릴 때마다 자서방은 나와 시어머니를 먼저 보내고 본인은 맨 나중에 아버님을 부축했다. 배를 빌려서 스노클링을 나갔을 때도 자서방은 아버님을 내내 부축하며 아버님께 생애 첫 스노클링을 선물해 드렸다. 꽤 고생스러웠을 법도 한데 그날 그 두 사람은 행복한 표정을 짓고 있었다. 그날 밤 리조트 테라스에서 함께 맥주를 마실 때 갑자기 시아버지께서 벌떡 일어나셔서 나와 자서방에게 차례로 볼 키스를 해 주셨다. 이곳에 같이 와주어서 고맙고 또 행복하다고 말씀하시며. 그 순간 자서방도 나만큼 울컥했을 거라고 확신한다.

응급실 내에 다른 환자가 없었고, 자서방이 근무하는 병원이라 다행히 잠깐의 출입을 허락받을 수가 있었다. 코로나로 인해 모든 병상이 치워져 있었고 우리 시아버지의 병상만이 응급실 한가운데에 덩그러니 놓여있었다. 아버님은 황망한 표정으로 허공을 응시하고 계셨는데 팔과 턱 아래로 말라붙은 핏자국을 보는 순간 눈물이 왈칵하는 걸 간신히 참았다. 자서방은 웃으며 아버님께 별일 아니니 너무 상심하지 마시라고 어깨를 만지며 위로해 드렸고 어머님께서도 일부러 웃으시며 농담을 건네셨다. 그런데 아버님께서는 좌절감이 너무 크셨던 모양이다. 아무런 대꾸 없이 그저 허공을 응시하고 계실 뿐이었다.

잠시 후 직원이 와서 가족들은 이만 나가달라고 했다. 자서방은 최대한 혼자서라도 곁에 있을 수 있게 부탁해 보겠으니, 나더러 시어머니를 모시고 일단 집으로 돌아가라고 했다. 응급실을 나오면서 나는 아버님께 뭐라고 말씀을 드려야 할지 몰라서 그저 손을 흔들었다. 허공을 응시하고 계시던 아버님께서 피 묻은 한쪽 팔을 흔들며 마스크 너머로 희미하게 웃어주셨다.

나는 시어머니를 따라 시댁으로 갔다. 시어머니께서는 계속 한숨을 쉬시면서도 나에게는 별일 아니라고 하시며 애써 웃으셨다.

"오늘 산 소고기는 아무래도 너희가 가져가야겠다. 이가 부러졌으니 한동안 고기는 못 먹을 것 같아…"

그날 자서방은 새벽 5시가 넘어서야 시아버지를 집으로 모셔 올 수가 있었다. 엑스레이와 시티촬영까지 하셨는데 다행히 아래쪽 치아 몇 개 외에는 부러지거나 크게 다친 곳이 없으셨다. 대신 정신적으로 충격을 받으신 것 같다고 했다.

다음날 아침 시아버지께서는 다행히 밝은 목소리로 자서방에게 먼저 전화를 주셨다. 고생이 많았고 이제는 걱정하지 말라고 하셨다.

장애에도 불구하고 평생 존경받으며 슈퍼맨처럼 살아오셨고 퇴직 후에도 장애인 협회 활동이나 근로자 판결에 참여하시는 우리 아버님은 여전히 본인의 삶에 열정적이시다. 시어머니와 자서방은 이제 아버님께서 혼자서 파리 등 타지역으로 출장 가시는 걸 멈추셔야 한다는 데 동의를 했지만 동시에 아버님께서 무력감이 드실까 봐 섣불리 말은 꺼내지를 못하고 있다.

시아버지께서 평생 당당하게 살아오실 수 있도록 티 안 내고 내조하시는 시어머니 역시 나는 항상 존경스럽다.

두 분 오래오래 건강하게 계셔주세요.

## 올해 첫 벽난로가 지펴졌다.

추운 겨울이 와도 항상 따뜻하고 행복하겠구나.

2020년 10월 1일

[오늘 저녁에는 올해 첫 벽난로를 지필 거란다. 너희와 함께 하고 싶구나.]

시어머니로부터 초대 메시지를 받았다. 며칠 전 시부모님을 도와 지하실에 든든하게 쌓아 올린 장작들을 떠올리며 내가 흐뭇한 표정을 짓고 있을 때 자서방이 말했다.

"엄마가 너 장작 나르느라고 수고했다고 몇 번이나 말씀하시더라. 오늘 저녁 우리는 와이프가 열심히 나른 장작으로 올해 첫 벽난로를 지피고 부모님과 샴페인을 마실 거야. 엄마가 간단한 핑거푸드를 만들 거라고 하셔서 저녁 식사는 따로 준비하지 마시라고 했어. 괜찮지?"

오후에 나는 시어머니와 함께 사과 케이크를 굽기위해 자서방보다 일찍 시댁으로 갔다.

요즘은 연일 가을비가 내리고 있다.

겨울이 온 것처럼 찬 바람도 쌩쌩 부는데 자서방 말로는 이게 낭시의 평범한 가을 날씨란다.

우리가 케이크와 간단한 음식들을 준비하고 있을 때 고양이들은 나라 잃은 표정으로 비 내리는 밖을 하염없이 쳐다보고 있었다.

"쟤네 나가고 싶어서 저러는 거야… 한데 문을 열어 주면 5분도 안 돼서 금방 돌아왔다가 또 금세 잊어버리고는 다시 나가겠다고 저러네… 우리 애들이지만 머리가 좋지는 않은 것 같아."

고양이들의 표정이 너무나 심각해서 시어머니랑 몇 번을 웃었는지 모른다.

잠시 후 가족들이 거실에 모두 모였을 때 드디어 올해의 첫 벽난로가 지펴졌다.

벽난로는 정말 좋은 거구나… 보기만 해도 마음이 편안해진다.

그런데 왜 고구마는 굽지 않는 건가요…(실제로 내가 이 말을 할 때마다 시댁 식구들은 웃기만 한다. 나는 농담이 아닌데…).

어머님께서 구우신 초리소 쿠키는 정말 맛있었다.

모웬이 자서방의 무릎 위로 뛰어 올라오려고 할 때마다 짓궂은 자서방이 무릎을 높이 세웠다. 결국 자서방은 시어머니께 막내 그만 좀 놀리라는 꾸중을 들었다. 자서방을 따라 같이 키득거리고 웃고 있던 나는 조용히 입을 다물었다.

다 같이 사과 케이크를 맛볼 때는 시어머니께서 모두에게 말씀하셨다.

"이거 요용이 혼자서 만든 거랍니다!"

제가요? 그랬나요…?

다들 나더러 고맙고 맛있다고 한 마디씩 건넸고 나는 뻔뻔하게 그 인사를 다 받았다. 사실 어머님이 거의 다 하신 거고 나는 옆에서 거들기만 했을 뿐이었다.

밤이 깊어 고양이들도 어느새 잠이 들었다. 우리도 슬슬 돌아갈 시간이 온 것이다. 아직 비가 오는지 궁금해서 유리 천장을 올려다보니 빗방울은 안 보이고 우리 가족의 평화로운 모습만 비치고 있었다.

추운 겨울이 와도 따뜻하고 행복하겠구나.

# 시어머니께서 김밥을 만들자고 하셨다.

## 하지만 어머님은 김을 못 드시잖아요

2020년 12월 7일

생애 첫 프랑스어 시험 TCF를 마치고 후련한 마음으로 집으로 오는데 시어머니로부터 메시지가 왔다.

[시험 끝났니? 잘 봤어?]

[네, 끝났어요. 결과는 어찌 됐든 끝나서 후련하네요.]

[넌 열심히 했으니까 분명 좋은 결과 있을 거야. 시험도 끝났으니 잠깐 들렀다 차 마시고 갈래?]

[네. 지금 갈게요!]

시험공부 때문에 스트레스가 좀 있었는데 시댁에 오니 마음이 따뜻하게 녹아내렸다. 어머님께서는 뜨거운 차와 함께 생강 과자를 갖다 주셨다.

"너 이제 시험도 끝났으니, 너만 괜찮으면 우리 요리 교실을 다시 시작해 보는 게 어떻겠니? 나는 이걸 함께 만들어 보고 싶은데."

시어머니께서 보여주신 메뉴는 다름 아닌 누드김밥이었다. 일명 캘리포니아 롤.

하지만 어머님은 김을 못 드시는데…?

"정말 김을 드실 수 있겠어요?"

시어머니께서 고개를 끄덕이셨지만, 표정은 그리 밝지 않으셨다.

"…향이 안 나는 김은 없니?"

나는 큰소리로 웃으며 그런 건 없다고 말씀드렸다.

"사실 이미 김이랑 모든 재료를 다 사다 놨단다. 초밥용 쌀, 아보카도, 오이, 망고 등등… 네가 편할 때 아무 때나 시작할 수 있어!"

아… 내 시험이 끝날 때만을 기다리고 계셨나 보다.

"저야 좋지요! 내일 당장 할까요?"

"그럼 내일 오후에 하자꾸나!"

김을 못 드시는 어머님께서 내가 좋아하는 김밥을 만들어 보겠다고 하시니 나로서는 그저 반가웠다. 어차피 드시는 것보다 만드는 것을 더 좋아하시니 완성된 김밥은 내가 혼자 다 먹어야 할 가능성도 컸다. 나는 이래도 좋고 저래도 좋은 것이다.

다음 날 오후에 시댁에 갔더니 시어머니께서 미리 준비하신 재료를 펼쳐서 보여주셨다.

"오늘 오전에 새우를 사러 갔더니 싱싱한 새우가 없더라고. 그래서 닭고기를 넣는 건 어떨지 해서 오븐에 구워 놨단다. 괜찮을까?"

"네, 괜찮아요. 혹시 마요네즈는 있으세요?"

"그럼 그럼!"

하지만 대답과는 달리 어머님께서는 그제야 마요네즈를 직접 만들기 시작하셨다.

"이렇게 직접 만들어 먹는 마요네즈가 훨씬 더 몸에 좋은 거야! 자, 한번 찍어 먹어 보렴."

수제 마요네즈를 처음으로 맛본 나는 뿌듯한 표정을 짓고 계신 어머님께 이렇게 대답했다.

"아무 맛이 안 나요."

"이게 바로 진짜 마요네즈야!"

하지만 그 맛에는 동의할 수 없었던 나는 고개를 계속 갸웃거렸고 어머님께서는 내 눈을 피하셨다.

밥이 완성되었을 때 나는 참기름, 소금, 식초로 간을 한 후 김 위에 얇게 펴 발랐다. 그러고 나서 김을 반대로 뒤집었는데 그때 김 냄새때문에 어머님께서 반사적으로 고개를 흔드셨다.

이 냄새가 그렇게 강한가…?

"저는 어릴 적에 밥 먹기 싫다고 할 때마다 할머니께서 참기름과 소금에 구운 김에 밥을 싸서 주셨어요. 한국뿐 아니라 요즘에는 해외에서도 김의 인기가 점점 높아지고 있으니, 어머님께서도 조금씩 드셔보세요. 좋아하게 되실 거예요."

나는 조금 단호하게 말씀드렸다. 그래야만 오늘 만든 걸 드실 테니까. 하지만 시어머니께는 쉽지 않아 보였다. 과연 내가 저걸 먹을 수 있을까 하는 막막한 표정으로 재료들을 가리키며 몇 번이나 중얼중얼하셨다.

"나는 이거도 좋아하고 이거도 좋아하고 이거도 좋아하는데 김은…
"

완성된 김밥을 썰어서 한 조각을 입에 넣어드렸더니 어머님께서 눈을 꼭 감고 받아 드셨다. 그러고는 허탈하게 웃으셨다.

"왜요? 맛이 없어요?"

"김 냄새가 너무 강해… 흐엉…"

씹으시면서도 계속 헛웃음을 지으셨다. 마치 벌칙을 수행 중인 것처럼 말이다.

"자꾸 드셔야 해요. 그러다 보면 맛있어져요."

나는 계속 우겼다.

완성된 김밥들을 썰어서 두 접시에 나누어 담았는데 그 양이 꽤 많았다. 아무리 생각해도 시부모님께서 다 드실 것 같지 않았다.

"혹시 옆집에 한 접시 나눠주는 건 어때요? 빵도 사다 주고 친절하잖아요."

시어머니의 표정이 갑자기 환해졌나. 역시나 저걸 어떻게 다 먹나 걱정하고 계셨나 보다.

어머님께서 담장 너머로 잘생긴 옆집 남자에게 김밥을 전달하실 때 나는 속으로 이렇게 생각했다.

맛은 보장 못 합니다… 마요네즈에서 아무 맛이 안 나거든요…

김밥 한 접시를 챙겨서 시댁을 나설 때 나는 시어머니께 한 번 더 단호하게 말씀드렸다.

"김밥 꼭 드셔야 해요. 내일 와서 검사할 거예요."

"당연하지! 네가 고생해서 만든 건데 고마운 마음으로 다 먹을 거야. 나랑 미셸이랑 반반씩! 약속하마!"

그날 저녁 9시쯤 시어머니께서 메시지를 보내셨다. 아버님과 각각 김밥 두 알씩 드셨고 나머지는 내일 마저 드실 거라고 말이다. 그리고 마지막에는 이렇게 물으셨다.

[그런데 아무 맛이 안 나는 김은 정말 없는 거니…?]

김은 여전히 어려우신가 보다.

## 김밥을 주고 트러플을 얻어왔다.

잘생긴 옆집 남자는 마음씨도 착하다.

2020년 12월 9일

[옆집에서 우리가 만들어 준 김밥이 정말 맛있었나 봐. 고맙다면서 오늘 답례로 트러플(송로버섯)을 가지고 왔지 뭐니. 우리 같이 나눠 먹자.]

[트러플이면 엄청 비싼 거 아니에요?]

[그래, 비싼 거지. 네 남편도 좋아할 거야.]

버섯을 좋아하는 자서방에게 물어보니 의외로 반응이 시큰둥했다.

"트러플? 내가 버섯을 좋아하긴 하지만 곰보버섯이나 야생 버섯이 더 좋아. 그리고 트러플은 요리할 줄도 모르려고… 와이프는 그거 안 먹어봤으니까 한번 먹어보는 것도 좋을 것 같은데?"

시어머니께 자서방의 대답을 그대로 전달해 드렸다.

[트러플은 익혀서 요리하지 않는단다. 간단하게 먹으려면 오믈렛을 만들어서 그 위에 얹어 먹어도 맛있어. 그러지 말고 차라리 내가 요리해 줄 테니 내일 여기로 와서 우리와 함께 점심을 먹는 게 어떠니?]

[그게 좋겠네요! 감사합니다. 내일 갈게요.]

말로만 듣던 트러플을 드디어 맛보게 된다니! 나 좀 출세한 것 같다.

다음날 나는 시댁에 가서 어머님이 만들어 주신 트러플 오믈렛을 먹었다. 말씀하신 대로 트러플은 익히지 않았고, 오믈렛 위에 얹기만 하셨다.

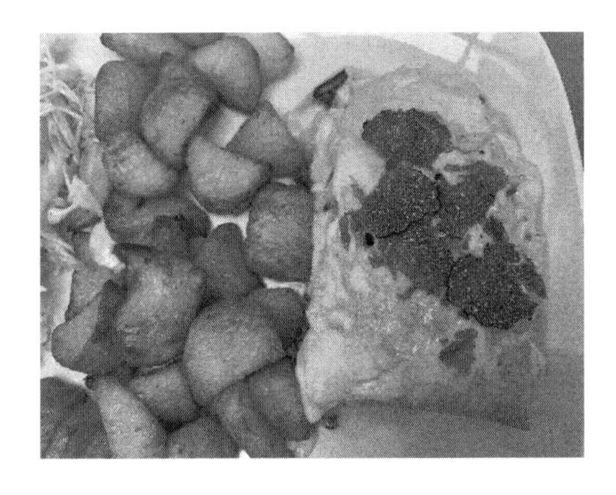

트러플만 하나 집어서 먼저 먹어봤는데 익히지 않아 아삭한 식감이 살아있었다. 향이 진한 건 알겠는데 솔직히 막 그렇게 특별한 느낌은 못 느꼈다. 그래도 귀한 음식이라니 무조건 감사히 먹었다.

내가 식사를 끝냈을 때 아버님께서 시어머니께서는 차를 준비하셨고 아버님께서는 나를 위해 사 오신 생토노레(Saint-honoré)를 갖다 주셨다.

나는 갑자기 생각난 듯 앞에 계신 시아버지께 여쭤보았다.

"제가 만든 김밥 어떠셨어요?"

시아버지께서는 커피를 드시다가 사레가 들리신 것처럼 심하게 기침을 하셨고 그 모습을 본 어머님께서 웃으셨다. 내 질문에 당황하신 것 같다고 하시면서 말이다. 잠시 후 진정이 되신 아버님께서 어색하게 웃으며 대답하셨다.

"참 예뻤지…."

시어머니와 나는 깔깔거리고 웃는데 아버님의 표정은 조금 당황하신 듯했다. 하기야 맛있었다고 말씀하시면 내가 또 만들게 뻔하니까 대답하기 꽤 난감한 질문을 내가 드린 것 같다.

"그래도 그 김밥 덕분에 이렇게 트러플도 먹어보게 되었네요."

시어머니께서 고개를 끄덕이며 말씀하셨다.

"그 남자가 나를 좋아한다니까."

아 네…

## 아버님은 굴을 사주시며 오히려 나에게 고맙다고 하셨다.

"우리끼리 조만간 또 먹자."

2021년 1월 1일

시부모님께서는 한 달 전부터 말씀하셨다. 시아버지께서 시장에 가셔서 싱싱한 굴을 사 오실 것이고 아버님과 내가 그것을 먹게 될 거라고 말이다.

무뚝뚝하신 아버님께서 유독 굴 이야기가 나올 때면 웃음을 주체하지 못하셔서 온 식구들이 몇 번이나 웃었다. 그만큼 굴을 좋아하신다.

드디어 오늘 아버님과 굴을 먹게 되었다!

원래 1시까지 시댁에 가기로 했지만, 굴 손질을 도와드리려고 30분 일찍 갔다. 하지만 어머님께서는 굴 냄새에 불평하시면서도 내가 손을 다칠까 봐 혼자서 굴 손질을 다 하셨다. 나 굴 손질 잘하는데….

우리 막내 이모가 살아 계실 때 우리 친정 식구들은 섬에 있는 이모네 펜션에 해마다 놀러 가곤 했다. 거기서 나는 펜션 식당 일을 도우며 굴을 까곤 했다. 온종일 까다 보면 속도가 점점 빨라진다. 이모는 우리가 그렇게 열심히 깐 자연산 굴들을 손님들에게 밑반찬으로 공짜로 드렸다. 손님들이 한 접시를 먹고 나서 또 달라고 할 때마다 나는 부르튼 손을 보며 한숨을 지었다. 이걸 왜 공짜로 주냐면서 이모에게 불평도 하고 말이다. 아… 이모… 우리 엄마도 굴만 보면 이모가 생각난다고 하신다.

시동생이 지하실에서 화이트 와인 두 병을 가져왔고 먹음직스러운 굴 쟁반이 테이블 위로 올랐다.

아버님께서 굴은 우리 둘만 먹을 거라고 하시며 쟁반을 우리 앞으로 가까이 당기셨다. 접시에 소고기 스테이크와 밥을 수북하게 담아온 시동생은 우리와 멀리 떨어진 자리에 앉았다. 이 맛있는 걸 왜 안 먹지…

그럼 아버님, 우리는 굴을 시식해 볼까요?

본 아뻬티!

굴 위에 레몬 캐비어의 알맹이들을 뿌린 후 그 위에 소스를 살짝 뿌려서 먹었다. 초장이 있으면 가장 좋았겠지만, 시어머니께서 준비하신 발사믹 간장 소스도 아주 맛있었다.

오! 바다 냄새…

화이트 와인도 술술 넘어갔다. 석 잔을 연속으로 마셨더니 나중에는 기분 좋은 취기가 올라왔다. 자서방은 내가 취하면 말이 많아진다고 했는데 과연 이날도 나는 말을 많이 했다.

마지막에 굴이 두 개가 남았을 때 아버님께서는 본인이 더 많이 드셨다며 모두 나에게 양보하셨다. 하지만 나는 둘 중에 더 통통한 굴을 골라 소스와 레몬을 뿌린 후 아버님 접시 위에 올려드렸다. 저도 많이 먹었거든요.

다 먹은 굴 껍데기들을 내가 치우려고 했더니 어머님께서 말리시며 직접 내 가셨다. 그 후 아버님과 나는 테이블에 남아 스테이크와 줄기 콩으로 추가 식사를 했다.

시아버지께서 나에게 물으셨다.

"한국에서도 매년 굴을 이렇게 먹니?"

"저희 친정에서는 섬에 사시던 이모 덕분에 자연산 굴을 자주 먹었어요. 프랑스에서는 굴이 더 비싸다고 들었는데 아버님 덕분에 이렇게 신선한 굴을 먹다니 정말 감사합니다! 저는 참 행운아예요!"

"아니야. 내가 더 고맙단다."

"왜요?"

"나도 네 덕분에 오늘 굴을 먹은 거거든."

"제가 없을 땐 혼자 드시지 않으셨어요?"

"이 집에서는 다들 굴을 싫어해… 올해는 네가 함께 먹어준 덕분에 나도 먹을 수 있게 된 거야."

아버님은 어머님이 계신 부엌 쪽을 흘끔 쳐다보시더니 이렇게 말씀하셨다.

"다음에도 우리 둘이 같이 먹자꾸나."

"내년에요?"

시아버지께서는 부엌 쪽을 한 번 더 보시다가 대답하셨다.

"아니, 조만간."

우리의 대화 소리가 부엌까지 들리지는 않았을 텐데 바로 그때 굴 껍데기를 처리하시던 시어머니의 커다란 한숨 소리가 들려왔다.

"네, 저는 좋아요!"

시어머니의 한숨 소리에도 아랑곳없이 우리 둘은 기분 좋게 웃었다.

우리 시어머니께서는 해산물을 좋아하긴 하시지만 굴은 그중의 하나가 아니라고 강조하셨다.

"나는 새우도 좋고, 연어도 좋고, 랍스터도 좋고, 대구도 좋고. 그런데 이거는… 피유…"

우리 시어머니의 표정과 말투를 직접 듣는다면 누구나 그 사랑스러움에 웃음 지을 것이다.

저녁에 퇴근해 온 자서방에게 시아버지와의 대화를 말씀드리자 자서방이 큰소리로 웃었다. 이제는 내가 아버님의 해산물 친구(?)가 되어 주어 다행이라고 하면서 말이다. 굴 얘기를 하실 때면 저절로 입꼬리가 올라가시던 아버님의 표정을 자서방도 본 것이다.

사실 마찬가지로 굴을 좋아하는 내가 아버님께 더 감사드린다. 아, 어머님께 더 감사드려야 하나…?

# 시아버지와 갸또

## 갸또로 감동 주시는

2021년 1월 27일

며칠 동안 지독하게 자서방을 괴롭히던 몸살감기는 다행히 많이 호전되었다. 코로나 테스트에서 음성 결과를 받긴 했지만, 여전히 불안했던 자서방은 시부모님께 당분간 서로 왕래를 자제하자고 말씀을 드렸다.

그런데 어제 점심때쯤 현관 벨이 울렸다.

찾아올 사람이 없는데 누굴까 하고 인터폰을 확인해 보니 우리 시아버지셨다. 급하게 마스크를 찾아 끼고 문밖으로 나갔더니 시아버지께서 한 팔로 난간을 짚으며 계단을 힘겹게 올라오고 계셨다. 그러고는 추운 날씨 때문에 습기가 자욱하게 낀 안경 너머로 나를 올려다보시더니 하얀 종이상자가 담긴 비닐 백을 나에게 내미셨다.

"갸또란다. 네가 좋아하는 생토노레(Saint-Honoré). 그럼 난 이만 가 보마. 좋은 오후 되거라."

"그냥 이대로 가시게요?"

"응 그냥 갈 거야. 허허."

웃으며 돌아선 시아버지께서 다시 절룩이며 계단을 내려가기 시작하셨다. 그 뒷모습을 보니 코끝이 시큰해졌다. 아버님이 사라지실 때까지 서 있다가 집으로 들어왔더니 자서방이 의문스러운 눈으로 나를 쳐다보았다.

"아빠셨어?"

"응. 이거만 주고 그냥 가셨어…"

"케이크이구나? 와이프가 좋아하는 생토노레일 거야. 맞지?"

조심스레 상자를 열어보았다.

아…

이리저리 흔들린 갸또의 모습을 보자 계단을 올라오시던 아버님의 모습이 떠올라서 또 한 번 코가 시큰해졌다.

"이거 와이프가 제일 좋아하는 거 맞지? 아빠가 저걸 볼 때마다 그 말씀을 하시거든. 우리가 집에서 너무 처져 있을까 봐 기운 내라고 사 오신 걸 거야."

나는 시아버지께 바로 메시지를 보내 드렸다.

[갸또 감사합니다!]

[너희 둘을 위한 내 작은 선물이란다.]

[오늘 저녁에 먹을 거예요!]

[맛있었으면 좋겠구나.]

[이건 항상 맛있는데요?]

[항상 그렇지는 않아. 우리는 이미 맛없는 생토노레를 먹고 실망했던 경험이 있거든.]

[그럼, 오늘 저녁에 먹어보고 맛있는지 다시 알려드릴게요.]

[그래, 좋은 오후 보내렴.]

[네 두 분도요.]

이제 시아버지와도 프랑스어로 메시지를 주고받을 수가 있게 되었다. 아직 맞춤법은 완벽하지 않지만 그래도 스스로 너무 뿌듯하다. 평소에는 필요한 답변만 짧게 하시는 시아버지신데 오늘따라 길게 메시지를 써 주셨다. 내 기분이 다운돼 있을까 봐 시어머니께서 걱정된다고 말씀하셨었는데 아마 아버님께서 그 이야기를 들으신 모양이다.

그날 저녁 갸또를 맛있게 먹은 후 시아버지께 잊지 않고 메시지를 보내드렸다.

[갸또, 평소랑 똑같이 너무 맛있었어요! 감사합니다.]

[고맙구나. 이 파티스리는 좋은 가게야. 좋은 밤 보내거라. 빼뺏도

잘 자고.]

빼뺏은 시부모님께서 우리 고양이 무스카델을 부르시는 애칭이다.

[감사합니다. 두 분도 좋은 밤 보내세요!]

내가 시아버지와 메시지를 주고받는 걸 본 자서방은 꽤 놀라며 이렇게 말했다.

"넌 모를 거야. 우리 부모님이 이런 식으로 누군가에게 애정 표현을 하시는 건 흔치 않다는 걸 말이야."

"정말?"

"넌 당연히 모르지. 너한테는 처음부터 친절하셨으니까. 우리 형제들에게 부모님은 언제나 무뚝뚝하고 엄격하셨어. 특히 아빠가 너를 대하시는 모습을 보면 난 지금도 종종 놀랜다니까. 오늘 추운 날씨에 와이프가 좋아하는 케이크를 갖고 찾아오신 것도 놀랍고."

"나도 가끔 내가 며느리가 아니라 이 집 손녀가 된 듯한 기분이 들 때가 있어."

그 사랑을 받으며 살은 덤으로 찌고 있다. 살쪄도 예쁘다고 해 주시겠지.

## 어머님은 부자 시잖아요.

치즈는 예외다.

2021년 2월 18일

아들만 둘인 우리 시어머니께는 큰딸과 다름없는 조카딸이 있으시다. 부모님을 일찍 여읜, 자서방의 이종사촌 누나인 마리는 매년 가족 모임 때마다 시댁을 찾아온다.

지난 주말, 그녀의 가족들이 오랜만에 시댁에 방문했는데 코로나 때문에 크리스마스와 새해 때도 만나지 못했던 터라 시어머니께서 특히 기뻐하셨다.

이날 메인 요리는 소고기 안심스테이크, 파스타 그리고 줄기 콩이었다. 줄기 콩은 삶아서 시어머니의 비법 치즈 페스토에 버무리셨는데 짭짤하니 너무 맛있었다! 여기에 파스타를 섞어 먹으니 다른 요리가 필요 없을 정도였다.

소고기는 말할 것도 없이 부드러웠다.

"제가 오븐에서 요리하면 이 맛이 안 나던데요."

"그건 너희 집 오븐이 별로라서 그래. 나중에 너희 집 장만해서 이사하면 내가 우리 집 거랑 똑같은 오븐을 사 줄 거야."

음… 이럴 때는 뭐라고 대답해야 하는 거지.

"지금 저희 집 오븐도 저한테는 충분히 좋은데요…."

식사가 끝났을 때 시어머니께서 치즈를 가져오셨다.

이때 상황이 좀 웃겼던 게…

다른 사람들은 모두 식사를 마치고 식기까지 치운 상태였는데 오직 나와 자서방만은 며칠 굶은 것 처럼 남은 음식들을 긁어먹고 있었다. 어찌나 맛있던지! 심지어 테이블 위에 남은 음식이 부족해서 어머님께서 부엌에서 줄기 콩과, 스테이크 그리고 파스타를 더 갖다주기도 하셨다.

"우리는 오늘 저녁 안 먹을 거니까 지금 많이 먹어 둬."

내 말에 자서방은 싫다고 고개를 흔들면서 계속 먹었다. 내가 식사를 끝낸 후에도 자서방은 남은 스테이크를 모두 끝낼 작정으로 먹방을 이어가다가 급기야 시어머니께서 자서방의 접시를 강제로 치워 가셨다.

"제가 샐러드를 너무 많이 담았나 봐요. 이렇게나 많이 남았는데 아까워서 어쩌죠?"

내가 샐러드 그릇을 치우다 말고 말씀드렸다. 샐러드가 부족할 것 같아 더 많이 담은 장본인이 나였는데, 정작 나는 줄기 콩 맛에 반해서 샐러드는 많이 먹지 않았다.

"괜찮아. 우리는 부자란다."

어머님께서는 이 한마디로 내 죄책감을 확 날려 주셨다.

하지만 잠시 후 내가 작은 치즈 조각을 바닥에 떨어트렸을 때는 반응이 사뭇 다르셨다. 살짝 정색하시는 듯 떨어진 치즈를 내려다보시길래 내가 웃으며 말씀드렸다.

"어머님 부자시잖아요."

내 말에 온 식구들이 다들 웃었다.

보통 내가 아까운 뭔가를 떨어트리면 자서방이 주워 먹는데 안타깝게도 이번엔 자서방이 싫어하는 치즈였다. 하지만 어느새 시어머니께서 바닥에 있던 치즈를 주워 드셨다.

그거 3초 지난 건데요 어머님…

후식은 다 같이 우리 집으로 와서 내가 미리 구워 놓은 초콜릿케이크를 커피와 함께 먹었다.

오늘따라 어머님의 음식이 왜 이리 맛있던지! 우리 부부 둘 다 제대로 폭식해 버렸다.

## 다이어트에 성공하신 시어머니
셀카 사진을 보내주셨다.

2021년 4월 17일

오전에 시어머니께서 놀러 오셨다.

"저런! 내가 너희 준다고 사둔 스테이크를 가져온다는 걸 깜빡하고 빈손으로 왔구나!"

"그건 시부모님 두 분이 드세요."

"안 돼 안 돼, 내가 어떻게 성공한 다이어트인데!"

시어머니께서는 일주일 만에 만난 자서방을 보시더니 양팔을 위로 활짝 펼치시며 몸매를 뽐내셨다.

"나 5킬로 뺐다!"

무뚝뚝한 자서방도 손뼉을 치며 축하해 드렸다.

"저녁에는 맨날 야채수프랑 요거트만 먹었어. 그리고 네가 말한 대로 공복을 16시간 동안 유지했지."

나는 어머님께서 좋아하시는 시원한 제로 콜라를 내 드렸고, 소파에 다 같이 둘러앉아서 밀린 이야기를 나누었다.

그런데 내가 프랑스어 발음을 실수할 때마다 시어머니와 자서방으로부터 동시에 지적이 쏟아졌다. 과외 선생님이 두 명이 된 것이다.

"이번 주에는 '2년'과 '12년'의 발음을 연습하는 게 숙제다. 다음 주에 내가 검사할 거야."

시어머니의 명령이었다. 이건 일주일 만에 되는 게 아니라고요…

시어머니께서는 집으로 돌아가신 얼마 후 나에게 본인의 셀카 사진을 한 장 보내주셨다. 근접 사진이라 뭐라고 답장을 드려야 하나 잠시 고민하고 있을 때 어머님의 추가 메시지가 도착했다.

[살이 빠지니 얼굴도 다르지?]

아하! 다이어트 성공하신 후 자신감이 생기셨구나! 그제야 나는 엄지를 세운 이모티콘을 보내 드렸다.

[그런데, 어머님 얼굴에서 제 남편이 보여요.]

[네 남편은 못생겼잖아.]

[아니에요, 잘 생겼어요. 제가 우리 남편 얼굴 보고 결혼한 건데요. 이 골목에서 제일 잘 생겼어요!]

[네가 외출을 너무 안 해서 그래. 시내도 좀 나가고 그래라…]

자서방에게 이 대화를 들려주었더니 나더러 이제 시어머니랑 놀지 말란다.

## 시어머니의 신발을 얻어왔다.

"미안하지만 이 신발만은 네가 아무리 졸라도 줄 수가 없단다."

2021년 5월 22일

시어머니께서 나를 위해 새우를 사 놓으셨다며 가지러 오라고 하셔서 아침 일찍 시댁으로 갔다. 새우를 사기 전이었다면 거절했을 텐데 이미 샀다고 하시니 감사히 받아야지.

시댁에서 차를 마시다가 정원 담벼락에 클레마티스가 가득 핀 모습이 예뻐서 잠깐 구경하러 나갔다. 날이 흐려서 그런가? 꽃향기가 유난히 진했다.

"밖에 꽃향기가 엄청 진해요!"

이렇게 말하며 거실로 돌아왔더니 시어머니께서 옆에 계신 시아버지의 머리를 다정하게 만지시며 이렇게 대답하셨다.

"그거 우리 미셸 때문이야. 우리 미셸은 항상 꽃향기가 나거든."

음… (3초간 망설임)

"네, 그런가 봐요…"

훌륭한 며느리는 맞장구를 잘 친다지…

시어머니께서는 새우 한 팩과 함께 요거트, 큐브 치즈 등을 종이 가방에 가득 싸 주셨다.

묵직하게 얻어서 인사를 드리고 나오는 길, 현관에서 나를 배웅하시던 시어머니께서 갑자기 본인의 운동화를 매만지며 말씀하셨다.

"이거 내가 좋아하는 브랜드인데… 굽이 있는 걸로 샀더니 넘어지겠더라고... 깨끗하게 빨았는데 혹시 너 사이즈 맞으면 신을래?"

얼핏 보고는 디자인이 평범하길래 그냥 고개를 도리도리하며 현관문을 그대로 밀었다.

"이거 200유로 주고 산 건데…."

그 말씀을 들은 나는 자연스럽게 후진해서 들어왔다. 그러고는 말없이 신발을 받아 신데렐라처럼 내 발을 조심스레 넣어보았다.

"얼추 맞네요! 아주 살~짝 크긴 한데 제가 원래 좀 크게 신거든요. 하하."

시어머니께서는 본인의 신발이 내 발에 맞는다는 사실이 기쁘셨던지 갑자기 신발장을 뒤지기 시작하셨고 곧 다양한 신발들을 나열하시며 모두 신어보라고 하셨다.

"이건 제 스타일이 아닌데요."

"이건 어떠니? 이것도 아니야?"

몇 켤레를 신어본 끝에 결국 운동화 하나랑 여름 샌들 하나를 얻었다.

그다음 어머님께서는 본인께서 애정하시는 다른 신발들도 보여주셨다.

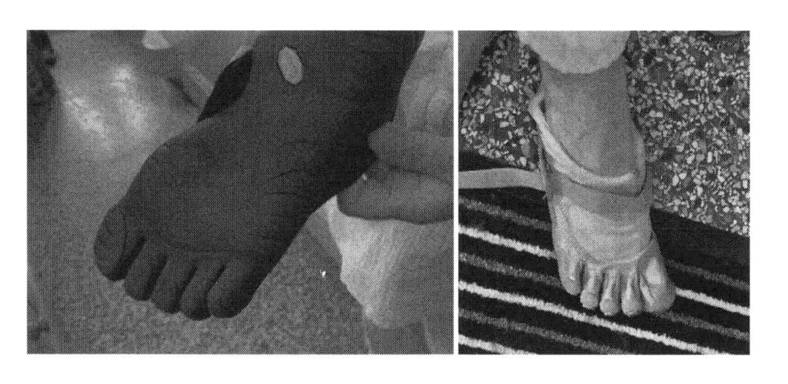

앗! 이게 대체 뭔가요!

곰 발바닥같이 생긴 신발을 보고 내가 웃느라 쓰러지고 있을 때 우리 시어머니께서는 뿌듯한 표정으로 직접 신는 모습까지 보여주셨다.

"이 신발은 내가 엄청 아끼는 거야. 미안하지만 이건 네가 아무리 졸라도 줄 수 없어."

그 말씀에 나는 한 번 더 쓰러졌다.

"아이고 참 안타깝네요…"

심지어 이런 게 두 켤레다!

"이게 얼마나 편한지 아니? 꼭 맨발로 다니는 것 같다니까."

"이거 신고 장도 보러 가시나요?"

"응 나는 이거 신고 다음 달에 바르셀로나도 갈 거야."

능청스러운 어머님의 농담에 우리는 온 동네가 떠나가라 웃었다.

저녁에 자서방은 내가 얻어온 신발들을 보더니 서슬픈 표정을 지었다.

"나 와이프 신발 사줄 수 있어. 필요하면 말하지 그랬어. 우리 그렇게 가난하지 않아…"

버리신다잖아… 저게 200 유로 짜리래…

## 계산은 꼭 본인이 하시겠다는 시어머니

"계산하는 사람은 나다! 내가 그렇게 결정했으니까!"

2021년 6월 13일

내 체류증의 수령을 위해 바쁜 남편 대신 시어머니께서 경시청에 함께 가 주셨다. 바르셀로나 여행에서 돌아오신 직후라 피곤하실 법도 한데 어머님은 오히려 더 활력이 넘치는 모습이었다.

체류증을 찾은 후 우리는 근처 스타니슬라스 광장에 가서 목을 축이기로 했다.

해가 잘 드는 테이블에 가서 앉았더니 종업원이 왔다. 어머님께서는 소다수를 시키셨고 나는 자신 있는 목소리로 오렌지주스를 직접 주문했다. 그런데 '쥬 도헝쥬'라고 해야 하는데 내가 거꾸로 '오헝쥬 드쥬'라고 말해버렸다. 쉽게 말해서 '오렌지주스'가 아니고 '주스 오렌지'라고 말한 것. 그래도 미모의 여점원은 웃으며 "오렌지주스, ok"라며 찰떡같이 알아들었다.

내가 계산하려고 했지만, 시어머니께서는 절대로 내가 지갑을 못 꺼내도록 무력으로 막으셨다.

"계산하는 사람은 언제나 나야. 네가 아니고."

"왜요! 왜 그런 건데요!"

"그냥 내가 그렇게 결정했으니까!"

나 혼자 이런 데서 계산하는 것도 연습해 봐야 한다고 했더니 그런 연습은 필요가 없다고 하셨다.

총 7.80유로였는데 팁으로 0.50유로를 테이블 위에 더 남기셨다.

동전들을 내가 빤히 쳐다봤더니 어머님께서 말씀하셨다.

"유럽 내에서는 동전을 모두 통용할 수 있단다. 하지만 동전의 앞면은 국가마다 모양이 다르지."

내가 신기해하자 지갑에서 다양한 동전을 꺼내서 더 보여주셨다.

"이거는 스페인 동전, 이거는 룩셈부르크, 이거는 독일, 이건 아일랜드… 이건 기억이 안 나네."

시원한 '주스 오렌지'를 마시며 탁 트인 광장과 여유로운 표정의 사람들을 구경했다. 그중에서도 스페인의 강렬한 태양에 피부를 건강하게 그을리고 오신 우리 시어머니께서 내 눈에는 가장 당당하고 활기차 보이셨다.

광장을 나온 후 시어머니께서 ATM에서 현금을 뽑으셨는데 갑자기 내 손에 그 지폐들을 쥐여주려고 하셨다.

"우리가 여행하는 9일 동안 고양이들 돌봐준 비용이란다."

나는 혼비백산하며 뿌리쳤다.

"가족인데 돈을 왜 주세요? 이러시면 저 정말 슬퍼요."

"여행 때마다 나는 누군가에게 고양이들을 부탁했고 항상 돈을 지불했단다. 넌 그 사람들보다 훨씬 더 잘 돌봐주었고 고양이들도 얼마나 행복했는지 내 눈에 다 보이더구나. 네가 아니었어도 누군가에게 지불했을 돈이야. 얼마 안 돼. 그냥 받아다오."

이번에는 정말 강경하게 맞섰다.

"가족끼리는 이러는 거 아니에요. 나중에 혹시라도 저희에게 아기가 생기면 저는 시댁에 아기 좀 봐달라고 종종 부탁드릴 건데요."

"난 돌봐주더라도 돈 받고 돌봐줄 거야. 그러니까 이거 받아."

"전 돈 안 드릴 건데요. 공짜로 돌봐주세요. 어머님의 손주니까요. 모웬이랑 이스탄불도 저한테는 가족이고요."

시어머니께서 내 앞에서 처음으로 할 말을 잃으셨다.

저녁에 자서방에게 내가 시어머니의 돈을 어떻게 뿌리쳤는지 들려주었더니 자서방이 깜짝 놀랐다.

"우리 엄마가 돈 주시는 걸 거절했다고? 그게 가능한 일이었어? 와이프 정말 진심으로 대단하고 자랑스럽다."

그러게. 나도 내가 자랑스럽네.

## 프랑스어 뽀뽀의 뜻은 우리와 너무 다르다.

"전 어릴 때부터 저희 부모님께서 뽀뽀하시는 걸 본 적이 없어요."

2021년 7월 4일

오늘 시댁에 갔다가 시어머니와 재미난 대화를 나누었다.

내가 모웬이랑 놀다가 "뽀뽀"라고 말하는 걸 들으신 시어머니께서 의아한 표정으로 물으셨다.

"왜 모웬한테 뽀뽀라고 말한 거니?"

"뽀뽀는 한국어로 가벼운 키스를 의미하거든요."

"정말?! 프랑스에서는 뽀뽀의 의미가 정말 다른데…"

"프랑스에도 뽀뽀라는 말이 있어요?"

"응. 아이들이 응가할 때 뽀뽀라고 하지. 난 그래서 모웬이 어디다 실수했나 싶어서 물어본 거야."

정말 재미있다. 참치를 똥이라고 부르고, 똥을 까까라고 부르는 이 나라. 응가하는 걸 가지고는 뽀뽀라고 부른다니! 우리말과는 정말 극단적으로 다르다.

"그런데 한국에서는 뽀뽀 안 하지 않니?"

"하는데요? 물론 프랑스만큼은 아니지만요."

"가족끼리도 해?"

"전 어릴 때부터 저희 부모님께서 서로 뽀뽀하시는 걸 본 적이 없어요. 솔직히 한 번도 안 봤기 때문에 이제 와서 보고 싶지도 않…"

우리 시어머니 두 눈이 휘둥그레지셨다.

"뭐라고? 부모님께서 뽀뽀를 전혀 안 하고 사신다고?"

"저희가 안 볼 때 하셨…겠지요?"

"아… 우후후 그렇겠구나."

나는 또 다른 말도 배웠다.

시어머니께서 무스카델을 위한 장난감 공을 선물로 주셨는데 내가 그걸 어디에다 뒀는지 깜빡해서 찾아다니고 있을 때였다. 시어머니께서는 나에게 과장된 표정으로 이렇게 말씀하셨다.

"Tu as perdu la boule?"

직역하면, '너 공 잃어버렸니?'라는 뜻이다.

나는 그제야 발견한 공을 보여드리며 "아니요, 저 공 안 잃어버렸어요!"라고 대답했다.

"호호 사실 공을 잃어버렸냐는 표현은 프랑스에서 상대방더러 정신이 나갔냐고 물을 때 쓰는 표현이란다."

"뭐라고요? 저한테 그런 말씀을 하시다니요! 자서방한테 잘 써먹어야겠네요!"

그때부터 나는 자서방이 뭐라고 할 때마다 "너 공 잃어버렸니?"라고 말한다. 배운 건 자꾸 써먹어야 안 까먹으니까.

자서방은 그 말을 들을 때마다 짧은 한숨을 쉬며 고개를 도리도리 한다.

"아… 엄마…"라고 중얼거리면서.

## 시부모님과 다녀온 보주 당일여행

내 생애 첫 페달 보트를 시부모님과 탔다.

2021년 7월 26일

오늘은 시부모님을 따라 보주로 당일 여행을 가는 날이다!

낭시에서 차로 한 시간 반 정도를 달리고 나니 동화처럼 예쁜 보주의 전경이 눈앞에 펼쳐졌다.

"이곳 보주 사람들은 주로 어떤 일을 할까요?"

"이곳은 농사보다 축산업이 발달했단다. 치즈나 우유를 생산하지. 목재를 팔기도 하고 관광지로도 유명한 데다 꿀과 린넨도 유명해. 내가 좋아하는 블랑데보쥬의 공장이 바로 이곳 보주에 있지. 너에게 선물한 테이블보나 이불 시트도 다 여기서 산 거란다."

이런저런 이야기를 나누다 보니 우리는 어느새 시어머니께서 예약

하신 레스토랑에 도착했다.

"내가 가장 좋아하는 레스토랑이 문을 닫았지 뭐니. 코로나 때문에 사정이 많이 안 좋은가 봐. 대신 이 집 플람키쉬도 맛있다고 하더라고."

테라스로 안내를 받은 우리는 먼저 시원한 맥주를 시킨 후 시어머니께서 그토록 입이 닳도록 말씀하신 이 지역 음식인 플람키쉬 메뉴를 살폈다.

시어머니께서는 크림, 양파, 베이컨, 치즈가 들어간 기본형으로 주문하셨고 나는 버섯이 추가된 걸로 골랐다. 시아버지께서는 보주 특산물인 묑스테르 치즈가 들어간 것으로 고르셨다.다 같이 먹을 샐러드도 두 접시 주문했다.

주문을 받던 친절한 아주머니께서 나에게 물으셨다.

"중국인이세요?"

"아니요. 저는 한국인이에요."

시어머니께서 한마디 거드셨다.

"내 며느리는 중국인이라고 오해받는 걸 싫어한답니다. 호호"

"오 이런, 죄송합니다."

그분은 나에게 황급히 사과하셨고, 그 모습에 오히려 내가 더 놀라서 괜찮다고 말씀드렸다.

"얼마 전에 프랑스어를 공부하는 중국 학생들이 왔었거든요. 그때 저는 일본인이냐고 물었었는데 그 학생들도 별로 안 좋아하더라고요."

역시 동북아는 서로 멀고도 가까운 이웃들인가 보다.

잠시 후 먹음직스러운 플람키쉬가 나왔다.

얇은 도우에 토핑을 얹어 화덕에 바삭하게 구워낸 플람키쉬의 모습은 피자와도 비슷하지만, 토마토소스 대신 사워크림이 베이스라는 차이가 있다. 정말 맛있었지만 맥주 때문인지 플람키쉬 한 판을 나 혼자 다 먹기엔 양이 너무 많았다.

"이거 포장해 달라고 하면 안 되나요? 배부른데 남기면 아깝잖아요."

시어머니께서 가만히 웃고 계시길래 나는 내 프랑스어가 부족했나 싶어서 내가 아는 '포장'과 비슷한 프랑스어 단어들을 총동원했다.

"아뽁떼? 엉뽁떼? 엉발레? 엉빠께떼? 음… 빠께꺄도(선물포장)…?"

시아버지께서 웃음을 터트리셨다. 난 진지했음.

"넌 우리를 참 즐겁게 해주는구나 호호"

"남기면 아깝잖아요."

"이 집에서 기르는 닭들이 먹겠지. 괜찮으니 그냥 남기렴."

나는 숨을 크게 한번 들이킨 후 마저 다 먹어 치웠다.

"닭들아 미안하다…"

내 혼잣말에 시부모님께서 또 한 번 웃으셨다.

시아버지께서는 후식으로 블루베리 파이를 드시겠다고 했지만, 어머님께서 후식은 잠시 후 다른 가게에서 먹자고 설득하셨다. 아버님께서 시무룩해지신 것 같은 느낌적인 느낌이…

든든하게 점식 식사를 마친 우리는 제하메 호수로 향했다.

어머님께서 페달보트를 타러 가자고 하셨을 때 나는 농담하시는 줄로만 알았는데 우리는 진짜로 탔다. 내 생애 첫 페달보트를 시부모님과 함께 탄 것이다.

시원한 바람과 함께 보트가 아름다운 호수 위를 미끄러지기 시작했을 때 나는 저절로 웃음이 터져 나왔다. 기분이 너무 좋았다. 구름에 붕 뜬 기분이랄까! 아름다운 경치와 시원한 바람, 잔잔한 물결 그리고 주변에 보이는, 하나같이 행복한 표정의 사람들까지, 다 좋았다.

페달을 밟는데 의외로 힘이 전혀 들지 않았다. 페달 위에 올려진 내 두 발은 힘센(?) 시어머니 덕분에 거의 저절로 움직이고 있었다.

팍팍팍팍-

우리 보트는 쏜살같이 앞으로 쏘아져 나갔다.

한 시간이 생각보다 너무 빨리 지나갔다! 안돼…

시어머니의 힘찬 페달 질 덕분에 우리는 출발했던 장소로 너무 빨리 돌아와 버렸다.

"아직 15분이나 남았는데요."

내 말을 들으신 시어머니께서 다시 힘차게 페달을 뒤로 밟으셨고 우리는 보트는 화끈하게 후진했다. 팍팍팍팍-

내 생애 첫 페달보트는 끝내주게 재미있었다!

별천지 같은 호수를 떠난 우리가 다음으로 향한 곳은 시내 특산품 매장이었다.

"재작년 크리스마스 때 우리가 한국으로 보내줬던 전나무 꿀 기억나니? 바로 이 집에서 산 거란다."

전나무 향이 진하게 나던 그 꿀 당연히 기억한다!

내가 500그램짜리 꿀 한 병을 집었더니 어머님께서 계산해 주셨다.

다음 행선지가 궁금해지려던 찰나 시어머니께서 나에게 물으셨다.

"너 야생 블루베리가 산에서 자라는 거 보고 싶니?"

"직접 딸 수도 있어요?"

시부모님께서 동시에 나를 향해 고개를 끄덕이셨나.

"먹을 수도 있어요?"

끄덕끄덕.

"네! 보고 싶어요."

시부모님께서 이번에는 차를 산으로 돌리셨다.

"저기 봐라! 리프트 보이니? 이 산은 겨울이 되면 스키장으로 변신한단다."

산 여기저기 비탈길이 많았는데 이런 곳들이 모두 스키 코스라고 하셨다.

"이곳에는 겨울에 눈이 한번 오면 허리까지 쌓이곤 하지."

시아버지께서 적당한 곳에 차를 세워주셨고 나는 시어머니를 따라 야생 블루베리를 찾아 숲으로 들어갔다.

"여기 자세히 보면 이제 다 블루베리란다! 보이니? 온 사방에 있어!"

처음에는 잘 안 보이더니 한번 발견하고 난 후부터는 과연 말씀하신 대로 온 사방에서 열매가 보였다.

한 줌 따서 한입에 톡 털어 넣었다. 아주 달지는 않아도 맛있었다. 야생에서 자라니 몸에도 더 좋을 것 같다.

그다음으로 우리가 도착한 곳은 산 정상에 위치한 레스토랑이었다.

이곳 대부분의 손님은 트래킹을 하다가 온 듯한 모습이었다.

시아버지께서는 점심때 못 드셨던 블루베리 타르트를 에스프레소와 함께 주문하셨고 나는 사과주스를, 그리고 시어머니께서는 소다수를 주문하셨다.

산 정상이라 바람이 아주 시원했다.

"이건 얼마 안 되지만 꼭 제가 계산하게 해 주세요."

시어머니께서는 대답 대신에 점원이 음료와 함께 가져온 치즈 통을 집어 들며 이렇게 말씀하셨다.

"이것 보렴. 선물로 주는 치즈인가 봐! 친절도 하지!"

나는 대충 흘려들으며 가방에서 지갑을 꺼내고 있었는데, 그 사이 어머님께서는 치즈 통에 신용카드를 넣어 점원에게 벌써 전달하셨다. 알고 보니 저 치즈 통에 계산서가 들어있었던 것. 결국 이번에도 내 지갑은 열리지 못했다.

우리 옆자리에 있던 가족이 일어나서 트래킹을 떠나는 모습이 보였다. 이처럼 가족 단위로 온 사람들이 많았다. 어린아이들에게는 그늘이 없는 땡볕에서 하는 트래킹이 꽤 힘들 것 같기도 했는데 다들 즐거워하는 표정들이었다.

저녁 6시가 넘어서야 우리는 낭시를 향해 출발했다. 시부모님과의 여행이 워낙 즐거워서 시간 가는 줄도 모르고 있었다.

집에 돌아온 후 나는 밤늦게 시부모님 두 분께 따로 메시지를 드렸다.

[두 분을 만난 저는 정말 행운아예요. 오늘 너무 즐거웠고 감사합니다!]

시아버지께서 언제 찍으셨는지 모를 내 사진 몇 장과 함께 답변을 주셨다.

[날씨가 좋아서 다행이야. 우리도 네 덕분에 더 즐거웠단다. 잘 자거라.]

그리고 뒤이어 도착한 시어머니의 답장.

[우리 모두 즐거운 하루였지! 우린 널 정말 사랑한단다!]

앗 부끄러운데… 어떻게 답장을 드리지…

잠시 고민을 하다가 나는 고개 숙여 공손히 인사하는 스티커로 답변을 대신했다.

지금 생각해 보니 '저도 사랑합니다!'라고 보내드릴 걸 그랬다.

## 시어머니께서는 내가 트럭처럼 예쁘다고 하셨다.

그게 예쁘다는 의미라면 저는 트럭이 맞습니다.

2021년 8월 21일

시아버지께서는 요즘 2주에 한 번꼴로 시골 직판장에 가셔서 샐러드를 사다 주신다. 덕분에 오늘도 나는 샐러드를 가지러 시댁으로 달려갔다.

시어머니께서 물려주신 긴 팔 니트를 입고 갔더니 어머님께서 나를 보자마자 환한 얼굴로 이렇게 말씀하셨다.

"예쁘다! 넌 꼭 트럭처럼 예뻐! (Tu es belle comme un camion)"

칭찬 맞나? 내가 갸우뚱한 표정을 지었더니 어머님께서는 그런 내 모습이 재미있다고 웃으시면서도 딱히 설명은 안 해주셨다.

나중에 자서방에게 물어봤더니 이렇게 대답해 주었다.

"아, 그거 프랑스식 표현이야. 예쁜 걸 보면 트럭처럼 예쁘다고들 해. 나도 자세히는 모르겠는데 원래 표현은 소방차처럼 예쁘다는 말이었을 거야."

옛날 사람들 눈에 빨간색 불자동차가 예뻐 보였나 보다. 아무튼 예쁘다는 뜻이라고 하니 그럼 나는 이제부터 트럭같이 생긴 걸로….

시어머니께서는 샐러드뿐만 아니라 테라스에서 보관하고 계시던 토마토도 담아 주셨고 바닐라 설탕도 한 병 주셨다.

"바닐라빈으로 내가 직접 만들었단다. 이렇게 만들어서 쓰면 더 저렴한 데다 향은 더 진하지."

떠나는 나를 대문까지 배웅해 주시던 시어머니께서 손을 흔들며 말씀하셨다.

"빠스떽(수박)에게도 내 키스를 전해주렴."

"수박은 제 남편인가요? 저는 트럭이고요?"

내 말을 들으신 시어머니께서 숨이 넘어갈 정도로 웃으시더니 이렇게 말씀하셨다.

"아니 아니, 무스카델 이름이 갑자기 헷갈려서 빠스떽이라고 말이 헛 나온거야."

아 난 또 빠스떽도 무슨 프랑스식 표현인가 싶었다.

"네! 빠스떽이랑 남편에게도 키스 전해드릴게요!"

대문을 나오는데 등 뒤에서 시어머니의 웃음소리가 계속해서 들려왔다.

## 시어머니의 옷을 물려 입는 며느리

"브라우니 더 많이 구워 드릴게요!"

2021년 10월 18일

시댁 옆집에서 직접 수확한 헤이즐넛을 좀 얻어왔다. 우리말로는 개암. 하지만 내가 자란 고향에서는 이걸 깨금이라고 불렀다.

나는 사흘 동안 이 깨금을 틈틈이 깠다. 속 껍질에 쓴맛이 좀 있길래 뜨거운 팬에다 살짝 굴려봤는데 땅콩처럼 껍질이 훌훌 벗겨졌다. 생으로 먹을 때보다 고소함이 배가 되는 걸 본 나는 곰곰이 생각한 끝에 브라우니를 굽기로 했다.

무스카델, 이 레시피 괜찮은 것 같지? 호두 브라우니 레시피지만 우리는 호두 대신에 헤이즐넛을 넣어보는 거야!

결과는 대성공이었다!

두툼하게 한 조각 잘라서 커피랑 먹었는데 이렇게 맛있어도 되는 건가 싶은 정도였다.

우리 시어머니께서는 본인의 요리에 감탄하실 때마다 두 눈을 감고 《오, 마리엘!》하며 본인의 이름을 외치시는데, 이걸 먹는 동안 내가 내 이름을 몇 번이나 외쳤는지 모른다.

혼자 먹기에는 너무 맛있어서 두 조각을 통에 담아 시댁으로 들고 갔다.

시댁에 도착하니 시부모님께서는 다이닝룸에서 점심 식사를 마치고 계셨다.

"후식은 제가 가져왔습니다! 여기 둘 테니 식사 후에 드세요."

나는 냉장고에서 시어머니 표 수제 망고 요거트를 꺼내 와서 거실로 갔다. 잠시 후 시어머니께서 내 브라우니 한 조각을 접시에 담아

오셨는데 한입을 드시더니 눈이 휘둥그레지셨다.

"아… 하나로는 부족한데…"

"내일 더 구워 드릴게요."

"아냐 아냐. 혼잣말이었어. 더 먹고 싶은데 더 먹으면 안 돼. 부족한데… 이거면 충분해…"

말이 안 되는 문장이지만 다 이해가 되고 있었다.

"두 개 다 드시면 안 돼요. 하나는 아버님 거예요."

"어, 나 하나만 먹었다…"

잠시 후 시아버지께서도 에스프레소 한 잔과 함께 내 브라우니를 접시에 담아 거실로 오셨다. 그때 시어머니께서 빛의 속도로 아버님 브라우니의 반을 뚝 잘라 가셨다.

"고마워요 미슈."

시아버지께서는 신문에 시선을 고정하신 채 고개를 끄덕이셨다.

반 개의 브라우니를 순식간에 드신 어머님께서 나에게 말씀하셨다.

"아참, 나한테 작아서 못 입는 아까운 옷들이 있단다. 너 오면 입어보라고 하려고 꺼내 놨지."

니트 두 개랑 스웨이드 재킷이었는데 항상 느끼는 거지만 우리 어머님은 연세에 비해 옷 고르는 센스가 뛰어나신 것 같다. 나는 차례로 입어본 후, 마치 옷 가게에 온 것처럼 "세 개 전부 주세요."라고 말해서 어머님께서 큰소리로 웃으셨다.

살이 찌는 바람에 작아서 못 입는 옷이 많다며 한숨을 짓는 어머님께 내가 환하게 웃으며 말씀드렸다.

"내일 브라우니 더 가져다드릴게요."

"안돼! 너 내 옷 다 빼앗아 가려고 그러는 거지?"

"아! 그 생각은 못 했는데, 정말로 더 많이 구워 드려야겠네요!"

오늘도 나는 시댁에서 한참 웃다가 돌아왔고 내가 드린 것보다 더 많은 것을 얻어서 돌아왔다.

## 내일은 50점!

"다음 주에 넌 분명 50점을 받을 수 있을 거야!"

2021년 10월 31일

나는 요즘 일요일마다 자서방에게 운전 연수를 받고 있다.

남편은 운전 연수가 끝날 때마다 엄격한 피드백과 함께 그날의 내 운전 점수를 매기는데 연수 첫날에는 (100점 만점에) 고작 10점을 줬다. 그래도 조금씩 발전해서 지난주에는 무려 40점이나 받았다.

그리고 오늘 우리는 또다시 운전 연수를 나갔다.

언제는 나더러 바퀴 하나가 얼마나 비싼지 아냐며 조심히 좀 운전하라고 잔소리하더니, 오늘은 또 (딴에는 사방팔방 다 확인하느라고) 너무 느리다며 올드 레이디처럼 운전하고 있다며 놀렸다.

"나 올드 레이디 맞고 40점짜리 운전 실력이라서 이래."

고작 40점짜리 운전 실력이었지만 남편이 시키는 대로 복잡한 시내도 가고 고속도로에서 110킬로로 밟아보기도 하는 등 오늘은 내가 생각해도 활약이 꽤 대단했다. 내심 점수를 기대하고 있었건만 남편은 고작 41점을 줬다. 지난주 점수에서 1점이나 올려준 것이다. 아이고오 감사합니둬….

고작 41점을 줘 놓고는 나더러 너무 잘했다고 자랑스럽다고 말하는 건 또 뭐지… 점수 짜게 주는 건 프랑스 문화인 걸까 아니면 그냥 놀리는 걸까….

집으로 돌아오는 길에 우리는 시댁에 들러서 시어머니와 함께 차를 마셨다. 우리가 함께 운전 연수를 하고 왔다는 말에 시어머니께서는 잘했다고 칭찬해 주셨다.

"그래 여자들도 운전은 필수로 할 줄 알아야 돼. 어디 갈 일 있을 때마다 자존심 상하게 남편을 부를 순 없지."

"저는 남편 안 부르는데요. 어머님 부르잖아요."

내 말에 시어머니께서는 "아참, 그렇네."라고 하셨다.

내가 오늘 41점을 받았다고 했더니 시어머니께서는 자신감 떨어지게 점수가 너무 짜다고 자서방을 나무라셨다.

그때 나는 따뜻한 표정으로 남편을 바라보며 이렇게 말했다.

"걱정하지 마, 남편도 처음 가르치는 거잖아. 하다 보면 가르치는 실력도 늘고 내 운전도 늘겠지. 오래 걸려도 나는 괜찮으니까 마음 편하게 가르쳐 줘."

시어머니께서는 자서방이 못 가르치는 데다 성격상 요구사항도 많을 텐데 힘들겠다며 나를 위로하셨다.

남편은 변명할 가치도 없다는 듯 웃더니 이렇게 말했다.

"솔직히 맨 첫날 인도에 바퀴 걸치는 걸 봤을 땐 난 속으로 내 와이프는 절대 운전하면 안 된다고 생각했었어. 근데 오늘 고속도로에서 운전하는 모습을 보고 나서 생각이 바뀌었어. 와이프는 운전 잘할 거야. 지금은 단지 경험이 부족한 것일 뿐이야."

아 첫날은 인정한다. 면허증 따고 근 20년간 장롱에만 묵혀 뒀다가 처음으로 다시 운전대를 잡은 상황이라 도로 가운데로 운전하기도 어렵더라. 그래봐야 그날로부터 운전을 네 번 더 했을 뿐인데 감이 조금씩 잡히는 느낌이다.

우리가 시댁을 나올 때 시어머니께서는 나를 격려해 주시며 말씀하셨다.

"다음 주에 넌 분명 50점 받을 수 있을 거야!"

아… 50점이 이렇게 높은 점수일 줄이야…

## 파스타 기계에 소녀처럼 행복해진 시어머니
### "이 세상에 태어나길 잘 했어!"

2021년 11월 5일

시어머니께서 파스타 기계를 중고로 구입하셨다며 나더러 구경 오라고 하셨다. 마침 좀 심심하던 참이라 시댁으로 갔다. 어머님은 오래전부터 이 기계가 갖고 싶으셨는데 중고 사이트에서 상태가 좋은 기계를 발견해 반값에 구매하셨다며 굉장히 기뻐하셨다.

"파스타면 만들어 줄까?"

"음··· 저희는 어제도 파스타 해 먹었거든요···"

"그러면 면을 뽑는 거만 보여줄게. 우리가 먹지 뭐. 5분이면 돼!"

책자를 보여주시며 파스타 면의 종류를 골라보라고 하시는 어머님의 목소리에서 기쁨이 가득 느껴졌다.

"밀가루에 물만 넣고 만들어도 되는데 나는 버섯즙이랑 계란을 넣을 거야!"

버섯즙을 넣으니, 향도 좋고 색깔도 그럴듯해졌다. 따끈따끈한 파스타 면이 뽑아져 나오는 모습을 보며 시어머니께서 아이처럼 좋아하셨다.

"나 이 기계 너무너무 좋아! 미셸도 파스타가 맛있다고 좋아해. 별다른 재료가 없어도 신선하니까 고급 파스타 맛이 나더라고!"

이렇게나 행복하실까!

"나는 나중에 하늘나라 갈 때 내 주방 기계들 다 가지고 갈 거야. 내 관속에 다 넣어갈 거야."

"음… 불가능해요. 너무 많아서 다 못 넣어요…"

내가 고개를 절레절레하자 어머님께서 큰소리로 웃으셨다. 사실 이 멘트는 시어머니께서 요리하실 때 종종 하시는 멘트인데 처음에는 뭐라고 대꾸해야 하나 당황했지만 이젠 이렇게 능숙하게 받아치고 있다.

"태어나길 정말 잘했어!"

"네?"

"이렇게 재미있게 요리를 할 수 있으니 태어나길 정말 잘했지, 안 그러니?"

"저는 만드는 것도 좋지만 먹는 게 더 좋아요."

그렇다. 요리를 더 좋아하시는 어머님은 온갖 음식들을 만들어서 내가 다 먹게 하신다. 우린 천생연분인가 보다.

"거봐! 금방 끝났지? 파스타 너무 예쁘지 않니?"

"이제 중국 마트에 면 사러 안 가도 되겠네요. 볶음면 요리도 이걸로 하면 되겠어요!"

"맞아! 너도 이거 사줄까?"

"아뇨, 저는 필요할 때마다 여기 와서 쓸 건데요."

"다음번에는 쌀가루도 시도해 보자! 타피오카는 어떨까? 너무 재미있겠다, 그렇지?"

우리 시어머니께서 진심으로 행복해 보이셔서 나까지 저절로 따라 웃고 있었다.

"저 이거 반만 싸주세요. 어제 먹다 남은 파스타에 섞어봐야겠어요."

"그래그래! 어디 보자… 우리 집에 반찬 통이… 하나도 없네? 다 어디로 갔나…."

앗, 시댁 반찬 통이 우리 집에 다 쌓여있다. 올 때마다 하나씩 얻어 가다 보니….

요리 기계 하나로도 너무나 행복해하시는 우리 시어머니는 긍정 에너지로 똘똘 뭉치신 것 같다. 덕분에 나는 오늘도 시댁에서 좋은 에너지를 많이 얻어왔다. 파스타 면과 함께.

## "손 안 대고 코 풀기라는 말이 있답니다."
남편은 서운해했지만, 어머님은 손뼉을 치셨다.

2021년 11월 7일

일요일 오후 우리 부부는 시댁에 커피를 마시러 건너갔다. 시아버지께서 초콜릿케이크를 사 오셨다며 같이 먹자고 우리를 부르신 것이다.

"내가 새로 심은 꽃 봤니?"

시아버지의 질문에 자서방이 갸우뚱하고 있을 때 내가 대답했다.

"대문 앞에 4송이 심으신 거요? 어제 봤어요."

"그래 그거, 정원에도 8송이 심었단다."

과묵하신 시아버지께서 자랑스럽게 말씀하시니 나는 당장 일어나서 모웬과 함께 꽃을 확인하러 정원으로 나갔다.

날이 추워지는데 꽃을 심으셔서 의아했는데, 아버님 말씀으론 이 꽃들은 겨울에 잠시 웅크렸다가 봄에 다시 피어난다고 한다.

이스탄불은 따라 내려오기 귀찮았던지 테라스에 앉아서 내가 다시 올라오기만을 기다리고 있었다.

잠시 후 나는 시어머니를 도와서 초콜릿케이크 4접시를 거실로 가지고 나왔다.

"커피는 우리 집 바리스타인 아빠한테 주문하렴."

"저는 디카페인이요, 설탕 없이요!"

시아버지께 당당히 커피를 주문하는 이 집 며느리이다. 예전에는 몸 둘 바를 몰라 내가 하겠다고 아버님을 말리곤 했지만, 이제는 시아버지의 작은 즐거움을 뺏지 않기 위해 가만히 앉아서 대접받고 있다.

초콜릿케이크는 특히 커피랑 먹으면 환상적으로 맛있다!

"엄마, 이제 운전하실 일 있으시면 요용한테 시키세요. 실전에서 자꾸 연습해 봐야 늘 테니까요. 아침에도 혼자서 운전하고 왔는걸요."

내 운전 실력이 미덥지 않으셨던 어머님께서 선뜻 대답을 못하고 계셨다.

"한국에서는 손 안 대고 코 풀기라는 말이 있답니다."

내 말에 다들 어리둥절한 표정으로 나를 바라보았고 나는 설명을 이어갔다.

"오늘 아침에 이이가 저더러 혼자 나가서 운전 연습을 하라고 하더라고요. 운전 연습을 마치고 집에 돌아왔을 때는 잘했다고 칭찬도 많이 해 줬어요. 이제는 어머님더러 제 운전 연수를 맡기려고 하는 것 좀 보세요."

자서방은 눈을 동그랗게 뜨고 말도 안 된다고 했지만, 시어머니께서는 내 말이 맞는다고 하시며 크게 웃으셨다.

"자신의 노력 없이 뭔가를 이루게 만든다는 표현이구나. 맞다 맞아! 주말마다 운전 연수를 시켜주는 게 귀찮으니까, 이제부터는 혼자 연습해 보라고 별별 이유를 다 갖다 붙였겠지. 호호호."

자서방은 그게 아니라고 혼자 훈련해야만 하는 이유를 열심히 떠들었지만 그 말에 귀를 기울이는 사람은 단 한 사람도 없었다.

12월에 백내장 수술을 앞두고 계신 시아버지께서 수술 후 운전이 어려우실 것 같아 시동생이 스웨덴에서 오는 날 자서방에게 공항 픽업을 나가 줄 수 있는지 물으셨다.

자서방이 휴대폰으로 스케줄을 확인하고 있을 때 내가 대뜸 말했다.

"제가 운전할게요."

무모한 내 자신감에 다들 웃고 있을 때 유독 자서방만은 혼자 진지한 표정으로 고개를 끄덕거리고 있었다.

"지금처럼만 연습하면 12월에 룩셈부르크까지 가는 건 어렵지 않아. 그날 내 일정이 된다면 나는 옆에서 동행만 할게."

뭣이라? 나 농담한 건데?

시부모님께서도 심히 걱정스러운 표정이었지만 자서방은 자신만만한 얼굴이었다. 그렇게 믿는데 나 왜 50점 준 거니.

둘이 손잡고 집으로 돌아오는 길 남편은 투덜거렸다.

"흥! 손 안 대고 코 풀기라고…?"

그래… 우리 남편 다 뜻이 있어서 그러는 거 내 안다. 도움이 되기는 되더라고….

## 시어머니와 옆집 남자의 요리 부심

요리 경쟁이 시작되었다.

2021년 11월 9일

아침에 베트남 식료품점에 다녀오신 시어머니께서 글루텐 밀가루, 타피오카 가루와 쌀가루 사진을 보내주셨다.

[파스타 면 만들려고 사신 거지요?]

[그래 맞아. 다양하게 테스트해 보려고. 너 시간 되면 와서 같이 할래?]

최근 우리 시어머니께 큰 활력소가 된 파스타 기계. 다 드시지 못할 만큼의 면을 며칠째 계속 뽑고 계시는 중이다. 구경도 할 겸 다 못 드시는 파스타도 얻어올 겸 나는 오늘도 시댁으로 놀러 갔다.

오늘의 재료는 타피오카 가루, 글루텐 밀가루 그리고 표고버섯즙이었다.

따끈따끈한 면이 쭉쭉 나오고 있을 때 어머님께서는 또 다른 아이디어가 떠올랐다고 하시며 찬장에서 밤 가루를 꺼내 오셨다. 그 밤 가루를 글루텐 밀가루와 섞어서 새로운 파스타를 더 뽑으셨다. 그런 후 완성된 두 가지 면을 각각 3등분으로 나누어 통에 담으셨다.

"옆집에도 주려고."

면을 식히려고 테라스에 올려놨더니 옆집 고양이 틱스가 담장 위에서 빼꼼히 우리를 보고 있었다.

틱스야, 아부지 뭐 하시노….

어머님께서 옆집에 파스타를 건네주시려고 담장으로 다가가셨는데 틱스가 그냥 사라져 버렸다. 틱스는 파스타를 별로 안 좋아하나 보다.

다음날 내가 시댁에 갔을 때 시어머니의 주방에는 3색의 화려한 페

투치니가 놓여 있었다.

"와! 어머님께서 뽑으신 거예요? 정말 예뻐요!"

그런데 우리 시어머니의 표정이 어딘가 어두워 보이셨다.

"…그거 내가 한 게 아니야. 옆집 남자가 준 거야…"

아… 저런…

"그 남자도 나랑 똑같은 기계가 있거든. 나도 알고는 있었는데 그래도 버섯으로 만든 거라 한번 맛보라고 어제 갖다줬던 건데…"

시어머니의 버섯 파스타를 받은 옆집 남자는 호박, 토마토, 시금치를 넣어 더 멋지게 만들어 바로 다음 날 보란 듯이 보답을 해 버린 것이다.

"[오, 버섯면 맛있어요! 그럼 저는 더 멋진 걸 보여드리지요!], 뭐 대충 이런 느낌인 거지요?"

우리 시어머니께서 손뼉을 치시면서 그게 맞는 것 같다며 크게 웃으셨다.

어머님께서 '마이달링'이라고 부르시는 잘생긴 옆집 남자는 이제 우리 시어머니와 요리로 경쟁하는 사이가 된 것 같다.

틱스야 아부지 요리도 잘하시네…

## 레스토랑에서 잊힌 손님이 되었다.

"오 이 안은 정말 따뜻하네요!"

2021년 11월 30일

외할머니께 크리스마스 선물로 보내드릴 목도리를 사기 위해 시어머니와 함께 쇼핑을 나갔다. 쇼핑 후에는 근처에 있던 크리스마스 마켓에 들렀는데, 내가 뱅쇼를 한잔 사드린다고 말씀드렸더니 어머님께서는 차라리 바로 옆에 있는 단골 레스토랑에 가서 점심을 먹자고 하셨다.

시어머니의 단골 레스토랑인 Les pissenlit.

자서방도 이 집 음식을 매우 좋아한다. 하지만 우리가 갔을 땐 이미 만석이었고 대기시간은 최소 한 시간이라고 했다. 나는 포기하고 나오려고 했는데 시어머니께서 직원에게 이렇게 말씀하셨다.

"그럼 우리는 야외 테이블에서 먹을게요, 그건 괜찮지요?"

"추울 텐데 괜찮으시겠어요?"

"우리 둘 다 옷을 따뜻하게 입어서 괜찮아요. 맥주 두 잔 먼저 부탁해요."

그렇게 우리는 야외 테이블에 덩그러니 앉았다.

우리는 외투의 지퍼를 끝까지 채운 채 얼음처럼 차가운 맥주를 마셨다. 어머님이 좋으시면 저도 좋아요. 덜덜덜…

그런데 식사를 주문하고 한참이나 수다를 떨었는데도 음식이 안 나오는 것이었다. 점점 추워지는 와중에 뭐라도 먹고 있으면 덜 추울 것 같다고 속으로만 생각했다.

한 시간쯤 지났을까… 웨이터가 헐레벌떡 달려 나왔다.

"오 이런, 죄송합니다. 제가 두 분을 잊어버리고 있었어요!"

참 솔직한 직원이다.

처음에 나는 못 알아들어서 눈만 껌뻑거리고 있었는데 우리 시어머니는 크게 웃으며 괜찮다고 하셨다.

"괜찮아요. 우리 둘은 그저 얼음이 되었을 뿐이에요! 호호호 안에는 따뜻하지요?"

"네네! 안으로 바로 안내해 드리겠습니다!"

웨이터의 안내를 받으며 드디어 따뜻한 실내로 들어섰을 때 시어머니께서는 큰 소리로 말씀하셨다.

"오… 여기는 참 따뜻하구나. 우리 둘만 얼음이야. 몸이 녹는다! 오오…"

웨이터는 죄송하다고 사과하면서도 우리 시어머니 때문에 웃음이 터졌다.

우리가 자리에 앉자마자 웨이터는 사과의 의미로 '시원한' 맥주를 두 잔 더 갖다주었고 우리의 식사 준비도 서둘러주었다. 와중에 접시가 식기세척기에서 금방 나온 것인지 뜨끈뜨끈해서 우리 시어머니께서는 접시를 끌어안을 듯이 쥐고 감탄하셨다.

"오… 너도 접시 만져봐라. 정말 따뜻하다. 오오… 오…"

어머님께서 그러실 때마다 웨이터는 웃음을 참지 못했고 연신 사과를 반복했다.

"괜찮아요 괜찮아. 그냥 여기가 너무 따뜻해서 너무 좋아서 그래요."

어머님 저 배꼽 빠지겠어요!

잠시 후 우리가 주문한 메뉴가 나왔다.

와인에 졸인 송아지 고기와 버섯 그리고 슈페츨레 파스타.

우리는 바게트에 소스를 찍어가며 정말 맛있게 먹었다. 특히 어머님께서는 배가 고프셨던지 식사를 금방 마치셨다.

"울랄라… 두 잔 마시니까 취하네. 여기서 낮잠 한숨 자고 가면 딱 좋겠구나."

우리 시어머니는 추우실 때나 배가 부르실 때나 변함없이 유쾌하시다.

식사는 내가 대접해 드리려고 했는데 화장실에 다녀오겠다며 일어나셨던 어머님께서 카운터에서 계산까지 마치고 돌아오셨다.

자리에서 일어날 때는 팁으로 4유로나 테이블에 남기시며 말씀하셨다.

"계산서를 보니 맥주 4잔 값을 하나도 안 받았더라. 오늘은 주말이라 트램도 공짜고 술도 취하고 좋구나!"

우리 둘은 맥주 두 잔에 살짝 취기를 느끼며 기분 좋게 레스토랑을 나왔다.

"다음에는 주중에 이 집 [오늘의 요리]를 꼭 맛보거라. 저렴한데 맛있어!"

"그럼 다음에 우리 한 번 더 같이 와요. 그건 제가 사드릴게요."

"호호, 그러자!"

비록 레스토랑에서 잊힌 손님이 되어 추위에 좀 떨긴 했지만 유쾌한 우리 시어머니와 함께 있으니 그저 재미있는 에피소드가 하나 더 늘었을 뿐이다.

## 위급상황! 위급상황!

그럴 리가 없는데

2021년 11월 26일

아이패드를 사고 싶어 하시던 아버님께서 블랙프라이데이를 맞아 매장에 가보고 싶어 하셨다. 바람도 쐴 겸 우리 부부는 시아버지를 모시고 시내로 나갔다.

세 군데의 매장을 둘러본 후 맨 마지막에는 신발가게에 들러 아버님께서 수선을 맡기신 신발도 찾아왔다.

그런데 집으로 돌아오는 차 안에서 사건이 생겼다.

갑자기 차 안에 독한 방귀 냄새가 퍼진 것이다. 이 냄새는 바로 내가 어젯밤에도 이불 속에서 시달렸던 바로 그 냄새였다!

속으로 내가 자서방을 욕하고 있을 때 뻔뻔한 자서방은 이렇게 외쳤다.

"위급상황! 위급상황!"

그 외침과 동시에 자서방은 차의 지붕과 모든 창문을 활짝 열었다. 추웠지만 숨통이 트이는 것 같았다.

"어젯밤에 그렇게 뀌더니 그걸로 부족했냐? 참 대단해."

뒷좌석에 앉아있던 내가 자서방을 향해 이를 갈며 말했더니 보조석에 계시던 시아버지께서 말씀하셨다.

"…나다. 허허…"

내가 아무 말 못 하고 어쩔 줄 몰라 가만히 있었더니 자서방은 큰소리로 깔깔 웃으며 나더러 예의가 없단다.

나는 아버님께 한마디 대답도 못 한 채 혼잣말처럼 이렇게 중얼거렸다.

"그럴 리가 없는데…"

이 냄새는 내가 헷갈릴 리가 없는데… 어젯밤 이불속에서도 바로 이 냄새였는데…

아버님 죄송합니다. 근데 정말 자서방이랑 냄새가 너무 똑같았어요…

## 시어머니께서 마트 직원에게 반하셨다.

"막내아들 삼았으면 좋겠구나!"

2021년 12월 22일

시어머니와 함께 크리스마스 장보기를 하러 갔다.

크리스마스가 코앞에 다가온 시기라 마트에는 수많은 인파로 붐볐고 신나는 캐럴까지 더해져 기분이 저절로 들떴다.

어머님께서는 우선 정육 코너 앞에 줄을 서시며 나더러 과일 코너에 가서 귤을 먼저 담고 있으라고 하셨다.

내가 귤을 골라 담고 있을 때 누군가가 봉지에 과일을 잔뜩 담았다가 판매대 위에 그대로 놓고 떠났다. 나는 별생각 없이 그 봉지 속의 과일을 조심스레 비웠고 봉지는 내가 사용하려고 카트에 담았다.

그때 옆에서 낯선 목소리가 들렸다.

"고맙습니다, 마담!"

고개를 돌려보니 남자 직원이 옆에서 과일을 정리하면서 나를 향해 환하게 웃고 있었다. 때마침 다가오신 시어머니께서 그 직원에게 웃으며 말씀하셨다.

"우리 며느리는 정말 좋은 사람이랍니다."

그런 후 어머님께서는 직원에게 질문하셨다.

"오렌지 종류가 많네요. 가격은 비슷한데 어떤 게 더 맛있을까요?"

그 직원은 반가운 친구라도 만난 듯 살갑게 설명해 주었고, 그의 조언에 따라 우리는 잎이 달린 오렌지를 담았다.

그런데 잠시 후 우리가 파인애플을 고르고 있을 때, 그 친절한 직원이 창고에서 나오더니 우리를 향해 곧장 다가왔다.

"마담, 저를 잠시 따라와 주실 수 있나요?"

그 직원 뒤를 바짝 뒤쫓아가시는 시어머니의 뒷모습이 왠지 신나 보이셨다.

"제가 방금 저 안에서 이 두 가지 오렌지를 맛보고 왔거든요. 그런데 잎이 달린 오렌지보다 그 옆에 있는 이 오렌지가 더 달더라고요. 혹시 몰라서 2개씩 잘라서 동료들에게도 맛을 비교해 달라고 했는데 다들 저와 같은 의견이었어요. 그러니까 이걸로 바꾸시는 게 좋을 것 같아요."

와… 이렇게 친절할 수가! 말투도 굉장히 살갑고 상대를 기분 좋게 만드는 능력자였다. 그를 바라보는 우리 두 사람의 눈에서 하트가 동시에 반짝였다.

시어머니께서는 장보기 하시는 내내 그 친절한 직원에 대해 이야기하셨다.

"정말 친절하고 재미있다, 그치? 나를 좋아하나 봐."

"음, 사실 시작은 저였지요. 저랑 어머님 둘 다 마음에 들었나 봐요."

"내 아들로 입양했으면 좋겠다."

"무뚝뚝한 큰아들이랑 바꾸고 싶으신가요?"

"아니, 우리 큰아들도 얼마나 좋은데! 다만… 저 셋째 아들을 가장 많이 사랑하게 될 것 같기는 해."

어머님 마음속에 그는 이미 셋째 아들이 되어 있었다.

묵직해진 카트를 이끌고 계산대로 향하던 도중 시어머니께서는 두리번거리시며 셋째 아들을 찾고 계셨다. 그리고 얼마 후 그를 발견하신 어머님께서 그를 향해 달려가셨다.

설마… '내 아들이 되어줘' 하시는 건 아니겠지… 여보, 큰일 났어!

알고 보니 시어머니께서는 친절에 대한 보답으로 팁을 주려고 하신 거였다. 하지만 그는 끝까지 거절했고 마음만 받겠다고 했다. 친절한 얼굴로 시어머니를 에스코트해서 내 쪽으로 함께 걸어온 그 직원은 우리에게 살갑게 손을 흔들며 작별 인사까지 하고 돌아섰다.

와… 어머님, 저도 저런 시동생이 있었으면 좋겠어요….

집으로 돌아오는 차 안, 시어머니께서 나에게 문득 물으셨다.

"네 남편이 잘해주니?"

"그럼요. 근데 갑자기 그건 왜 물으세요?"

"너 그냥 우리 딸로 입양해서 우리 집에 같이 살면 좋겠다. 그 무뚝뚝한 녀석은 혼자 살라고 하고…."

아… 그 청년을 사위 삼고 싶으신 건가요…?

## 실수로 시아버지의 애칭을 불러버렸다.

취구멍은 어디에

2022년 3월 1일

오늘도 나는 프랑스어 수업을 마치고 집으로 오는 길에 참새가 방앗간에 들르듯 시댁에 들렀다. 보주에 다녀오신 시부모님께서 우리를 위해 훈제 돼지고기를 사 오셨다고 하셨기 때문이다.

내가 대문의 초인종을 세 번이나 누르고 나서야 시어머니께서 부스스한 얼굴로 문을 열어주셨다.

"깜빡 잠이 들었나 봐…"

피곤하실 법도 하시지. 파리에서 돌아오신 바로 다음 날 보주로 떠나셨으니 말이다.

시어머니를 따라 고기를 가지러 지하실에 내려갔다가 내가 먼저 올라왔는데 그때 계단 앞에서 시아버지를 마주쳤다. 반가운 마음에 인사를 먼저 건네려던 나는 그만 큰 실수를 저질러 버렸다. 오직 시어머니만 부르시는 아버님의 애칭을 힘차게 불러버린 것이다.

"봉쥬 미슈!"

허걱. 내가 방금 뭐라고 한 거지!

무뚝뚝한 시아버지께서 나를 빤히 바라보시는데 입꼬리를 씰룩이고 계셨다. 바로 실수를 깨달은 나는 민망해서 큰소리로 웃어버렸고 시아버지께서도 따라 웃으셨다.

"왜 그러니? 무슨 일이야?"

뒤늦게 올라오신 어머님께서 물으셨다.

"제가… 아버님을 미슈라고 불렀어요."

시어머니께서는 장난스레 나를 한번 흘기시더니 여전히 웃고 계신 시아버지를 따라 같이 웃으셨다.

아… 이런 민망한 실수를 해 버리다니… 하도 듣다 보니 귀에 익어버려서 아버님 얼굴을 보자마자 자동으로 입에서 튀어나와 버린 것이다.

어머님께서는 오늘도 바리바리 싸 주셨다. 훈제 돼지 한 덩이, 베이컨 그리고 빵 오 쇼콜라 한 꾸러미까지!

"빵 오 쇼콜라가 10개나 들어있는데 전부 다 주시는 거예요?"

나는 시아버지를 향해 한 번 더 여쭤보았다.

"몇 개 남겨놓을까요?"

우리 아버님 고개를 좌우로 흔드시는 찰나에 어머님 눈치를 보신 것 같은데… 흠… 아버님, 드시고 싶으시면 눈을 두 번 빠르게 깜빡여 주세요.

"이제는 어디에도 가고 싶지 않아. 한동안 매일 낮잠 자고 집에서 고양이들이랑 있을거야."

피곤하실 만도 하지요.

"네가 만들어다 준 파스타 정말 잘 먹었다. 그리고 스프링 롤은 아직 안 먹었지만 요리하기 귀찮은 날 너무 요긴할 것 같아. 고맙다."

시부모님께서 바쁘게 여행을 다니시길래 식사를 제대로 못 챙기실 것 같아 내가 음식을 좀 가져다드렸었는데 조금이라도 도움이 되었다는 생각에 기분이 좋았다.

저녁에 자서방에게 내가 실수로 시아버지의 애칭을 불렀다고 말해주었더니 자서방이 크게 웃었다.

"무뚝뚝한 우리 아빠도 그 순간은 못 참으셨을 텐데?"

"응, 엄청 웃으셨어."

남편은 내가 세상에서 제일 웃기단다.

나도 내가 웃기다.

## 나는 프랑스어를 배우면 시어머니께 바로바로 써먹는다

그 말을 들으신 선생님의 입이 떡

2022년 3월 24일

우리나라와 달리 프랑스어에는 반말과 존댓말 사이에 다양한 단계들이 존재한다는 것을 어학원 수업 도중에 알게 되었다.

평소 나를 편하게 대해 주시는 쟈닌 선생님께서 수업 중 나에게 물으셨다.

"시댁 식구들이랑 지내면서 어떤 방식으로 말해야 할지 헷갈렸던 경험은 없었니?"

"음… 대부분 반말을 쓰는데요, 처음에는 헷갈려서 남편한테 매번 물어봤어요. 하지만 이제는 상대가 저에게 반말(tutoyer)하면 저도 똑같이 반말해요."

"맞아, 그렇게 하면 돼. 프랑스에서는 서로 성인인 경우 상대가 반말하면 나도 반말하면 돼."

선생님께서 여전히 뭔가 재미있는 이야기를 기대하고 계신 듯한 표정으로 나를 바라보시길래 내가 한 가지 경험담을 들려드렸다.

"아, 한 번은 시댁에 갔다가 헤어질 때 제가 시어머니께 'Je me

casse.'(쥬므 꺄쓰!)라고 말씀드렸어요. 그랬더니 옆에 있던 남편이 깜짝 놀라면서 그건 나쁜 말이라고 경악하더라고요. 근데 저희 시어머니께서는 좋아하셨어요! '오케이! 튀뜨꺄쓰!' 라고 대답까지 해 주시던데요?"

내 말에 선생님의 입이 떡 벌어지셨고 반 친구들은 모두 뒤집어졌다.

수업 초창기 때 친한 친구 사이에 헤어질 때 사용하는 표현이라고 선생님께서 가르쳐 주셨던 건데 나는 그걸 시어머니 앞에서 사용한 것이다. (우리 시어머니는 내 베프 시니까…)

나중에 알고 보니 그 말의 의미는 우리말로 '저 꺼질게요!', '그래, 너 꺼져라!' 정도쯤 되는 듯했다.

"오... 시어머니께서 우리 며느리가 학교에서 이상한 것만 배워온다고 오해하시면 어쩌지…"

말씀으로는 걱정이라고 하시지만 선생님의 표정은 매우 즐거워하고 계셨다.

"주말에 혹시 시부모님 만나니?"

"네, 토요일 점심 식사에 제가 시부모님을 초대했어요."

잠시 고민을 하시던 선생님께서는 이렇게 말씀하셨다.

"내가 정중한 표현을 하나 가르쳐 줄 테니 꼭 시부모님께 써먹도록 해. [J'ai mitonné pour vous.] '제가 두 분을 위해 정성껏 요리했어요' 라는 의미란다. 이 말을 들으시면 시부모님께서 우리 며느리가 학교에서 이상한 말만 배우는 건 아니구나! 생각하시겠지."

다음날 시부모님께서 오셨을 때 나는 수업 중에 있었던 일을 들려드렸고 온 식구들이 다 같이 크게 웃었다.

"내가 너한테 욕 가르쳐 준 걸 들었다면 그 선생님 진짜 기절했겠네."

아기 새처럼 시어머니를 따라 열심히 욕을 배울 때 남편이 옆에서 이마를 짚고 있었던 이유를 이제야 조금 알 것 같다.

## 모웬이 실종되었다.
시댁에 짙은 그림자가 드리워졌다.

2022년 8월 20일

시댁의 막내 고양이 모웬이 2주째 집에 돌아오지 않고 있다.

시부모님께서는 오래전부터 계획하셨던 여행도 취소하시고 집에서 날마다 모웬을 기다리고 계신다.

뒤늦게 소식을 들은 나는 친구들과의 보주여행에서 돌아오자마자 시댁을 찾아갔다.

모웬이 없는 시댁 분위기는 사뭇 달랐다.

시부모님뿐만 아니라 큰 고양이 이스탄불까지도 침울한 표정이었고 온 집안에 짙은 어둠이 드리워져 있었다.

시부모님께서는 전단지를 제작해서 동네 곳곳에 붙이셨고, 집집마다 문을 두드리며 정원과 지하실을 한 번 더 살펴봐 주도록 이웃들에게 부탁하셨다고 한다. 일전에 일주일간 고양이를 잃어버린 경험이 있는 옆집에서도 많은 도움을 주고 있다고 하셨다.

"문제는 휴가철이라서… 프랑스인들은 휴가를 길게 가거든. 옆집 고양이 틱스처럼 이웃집 지하실에 갇혀서 못 나오고 있는 거라면 휴가철이 끝날 때까지 꽤 오래 기다려야 한다는 거지…"

어딘가에 갇혀있다면 제발 마실 물이라도 있는 곳이었으면 좋겠다.

나는 말없이 찻잔만 만지고 있는데 어머님께서 아버님을 바라보시며 나직하게 말씀하셨다.

"모웬없는 우리 삶은 예전과 많이 다를 거예요, 그렇죠…?"

아버님은 어머님의 손을 잡으시며 고개를 끄덕이셨다. 그 모습을 보는데 눈물이 날 것 같아서 밖으로 나갔다. 애교 많은 모웬은 시부모님 두 분께 의미가 아주 큰 존재였다.

나는 모웬이 자주 놀러 가던 이웃집 정원 쪽을 향해 모웬을 몇 번이나 불러보았다. 내 기척만으로도 한걸음에 "냥!" 하면서 달려오던 모웬인데… 혹시 위험에 빠진 모웬이 어딘가에서 애타게 우리를 부르고 있는데 우리가 못 듣고 있는 걸까…

"이스탄불, 네가 나가서 모웬 좀 찾아봐…"

괜히 나는 이스탄불과 틱스에게 짜증을 부렸다. 너희가 나가서 좀 찾아보란 말이다…

시부모님은 마음의 준비가 전혀 되어있지 않으시다. 마치 막내아들을 잃어버리신 것처럼 두 분 모두 너무 침울하셨다.

"신문사에도 연락할 거야. 그리고 이제 정원에는 울타리를 쳐서 이스탄불이 못 나가게 해야겠어. 아직 모웬이 돌아올 수 있으니 좀 더 기다렸다가…."

시어머니께서는 누군가가 모웬을 납치한 것 같다고 하셨다. 2주가 지나니 나는 차라리 그편이 낫겠다는 생각이 든다. 어딘가에서 혼자 고통받는 것보다 누군가를 만나 안전하게만 있어 주었으면 좋겠다(칩이 있으니 언젠가 동물 병원에 검진을 간다면 되찾을 희망도 있고 말이다).

내가 집에 간다고 일어서자, 어머님께서는 배웅을 해 주시며 대화를 많이 못 해서 미안하다고 하셨다. 나도 이렇게 슬픈데 두 분은 오죽하실까.

시댁을 나오다가 나는 무화과나무에서 무화과를 몇 개 따서 어머님께 내밀었다. 어머님은 고개를 저으시며 살짝 울먹이는 목소리로 말씀하셨다.

"나는 아무것도 필요 없어. 모웬만 있으면 돼…"

아 나도 눈물 나네…

## 세상에서 가장 유쾌한 시어머니, 바로 이분입니다.

기공 제가 꼭 배워보겠습니다.

2022년 9월 15일

자서방의 생일을 맞아 시부모님과 단골 레스토랑에서 저녁 식사를 함께하게 되었다.

레스토랑으로 가는 길, 저녁 공기가 너무 차가워서 깜짝 놀랐다. 벌써 겨울이 왔나 싶을 정도로 시린 칼바람에 덜덜 떨다가 아늑한 실내에 들어오니 너무 좋았다. 우리를 맞아주시는 여사장님의 미소 또한 따뜻했다.

벽에 적힌 메뉴판을 보다가 필기체 학습의 필요성을 다시금 실감했다. 하… 뭐라고 쓰여 있는 거니 남편아…

아, 와인 먼저 골라야겠다.

"우리 샴페인 마실까요?"

식사 후 내가 몰래 계산하려고 마음먹고 있었기 때문에, 나는 평소보다 적극적으로 나서서 주문했다. 안타깝게도 사장님께서 샴페인은 없다고 하셨다. 우리 어머님은 샴페인을 좋아하시는데…

"그럼 화이트 와인으로 주세요. 과일 향이 나고 살짝 달콤한 그런 거 있을까요?"

사장님은 나에게 꼭 맞는 와인이 있다고 하셨고 우리는 화이트와인과 레드 와인을 각 한 병씩 주문했다.

잠시 후 사장님은 와인 두병을 오픈하셨고 나와 자서방은 각각의 시음을 맡았다. 이럴 때 마음에 안 든다고 하면 저 병은 어떻게 되는 걸까… 이미 우리 때문에 오픈했는데 맛이 없어도 싫다고 말 못 할 거 같은데… 복잡한 생각을 하며 맛을 봤는데 다행히도 화이트 와인은 딱 내 취향이었다. 상쾌하고 향긋하고 살짝 달콤한 맛.

와인을 마시며 수다를 떨다 보니 우리가 주문한 엉트레가 나왔다.

시아버지와 나는 옥수수수프를 골랐는데 구운 베이컨과 옥수수가 토핑으로 올라가 있었고 수프 속에는 수란이 숨어있었다. 옥수수의 달콤하고 고소한 풍미가 너무나 좋았다.

어머님과 자서방은 돼지고기 빠떼를 시켰는데 이것도 맛있다고 했다.

메인 메뉴로 나는 시부모님을 따라 수비드 닭고기를 주문했는데 서양 자두가 들어간 소스가 달큰했다. 사이드로는 감자 패티와 함께 당

근, 줄기 콩, 시금치가 나왔다.

닭고기가 매우 부드러워서 수비드 온도를 여쭤보니 63도로 1시간 반을 익힌 거라고 사장님이 알려주셨다. 다음에 나도 시도해 보려고 휴대폰에 메모해 두었다.

자서방은 소고기 스테이크를 주문했는데 토마토와 무를 남기길래 내가 남김없이 먹어주었다.

배가 너무 불러서 디저트는 도저히 못 먹을 것 같았다. 다들 같은 마음이라고 고개를 끄덕이는 와중에 아버님께서 조용히 망고 무스를 주문하셨다.

아버님께서 디저트를 드시는 동안 나는 학교 스포츠 활동에 대한 이야기를 꺼냈다.

"저 학교에서 쿠바 살사 배워 보려고요."

우리 어머님께서는 생각만 해도 신나시는지 자연스럽게 리듬을 타며 몸을 움직이기 시작하셨다.

"사실 저는 좀 정적인 것도 하고 싶은데 수업 스케줄이 안 맞아요. 요가나 명상 뭐 그런 차분한 거요."

"기공은 어떠니?"

"기공도 있더라고요. 그런데 뭔가 할머니 할아버지들이 하는 거 같아서…"

"아니야, 젊은 사람들도 배워. 나도 잠깐 배워봤는데 재미있었어."

살사 리듬을 타시던 어머님께서 이번에는 앉은 상태에서 두 팔을 부드럽게 움직이시며 간단한 기공 동작을 보여주셨다.

"이런 식으로… 몸의 긴장을 풀어주고 에너지가 온몸으로 순환하게 돕는 거란다."

우아한 동작을 이어 가시던 어머님께서 갑자기…부욱! 하고 방귀를 뀌셨다.

그리고 2초간 정적.

과묵하게 디저트를 드시던 아버님께서 어깨를 들썩이시며 온몸으로 웃기 시작하셨다. 그제야 나도 어머님의 팔을 붙잡고 숨이 넘어가도록 웃었다. 다행히 레스토랑 실내가 시끄러워서 다른 사람들은 방귀 소리를 못 들었다. 어머님께서는 귀까지 빨개진 얼굴을 아버님 어깨에 파묻고 꺽 꺽 웃으셨다.

"저 기공 할래요! 완벽히 이해했어요!"

"어… 온몸의 순환을 말로만 설명하면… 부족할 것 같아서… 순환이… 너무 잘 돼… 꺼억 꺼억…"

아이고 어머님 저 숨넘어가요…

어머님은 웃느라 말씀을 제대로 잇지 못하셨고 아버님은 디저트 스푼을 드신 채 계속 어깨를 들썩이셨다. 우리 셋은 그야말로 웃다가 쓰러질 판이었다.

이 와중에 혼자 무표정으로 우리는 바라보고 있던 자서방.

"왜 웃는지 아무도 말해주지를 않네…"

삐치기 일보 직전인 그 얼굴을 보고 우리는 또 한차례 쓰러졌다.

어머님 방귀 뀌셨다는 말을 내가 어떻게 하니…(집에 가서 해줄게.)

내가 몰래 계산하려고 했지만, 눈치 빠르신 어머님 때문에 결국 실패했다.

"안돼. 너희는 앞으로 돈 쓸 일이 많으니까."

맛있는 저녁 식사와 함께 큰 웃음까지 주신 우리 시어머니. 이보다 더 유쾌한 시어머니가 이 세상에 또 있을까?

오늘도 감사합니다.

## 외국인 며느리가 말을 배우더니 말대꾸도 늘었다.

"저는 전문가라니까요!"

2022년 11월 19일

시어머니께서 몇 주 전부터 같이 넴(일명 스프링롤)을 만들자고 하셨는데 프랑스어 시험 준비 때문에 계속 미루다가 마침내 오늘에서야 시간을 낼 수가 있었다.

시댁에 갔더니 두 마리의 고양이들이 서로 다른 온도 차를 보이며 나를 맞아주었다.

"형수 오셨소?"

"저 언니 또 왔네."

모웬의 빈자리가 너무 크셨던 시부모님은 최근 모웬과 꼭 닮은 막내 고양이, 탈린을 입양하셨다. 그렇다고 모웬 찾기를 포기하신 것은 절대 아니다. 여전히 전단지를 새로 붙이고 광고도 내며 애타게 기다리고 계시다.

어머님께서는 이미 넴 속을 만들어 두셨다.

"내가 검은 버섯을 산 줄 알았는데 깜빡하고 안 샀나 봐… 대신 옆집에서 준 다른 버섯을 넣었단다. 이것도 검은색이니까…"

하지만 그 순간 내 눈에 딱 들어온 검은 버섯!

"저거 검은 버섯 아니에요?"

내 손가락이 가리키는 방향을 따라 환기구 위에 놓인 버섯 봉지를 발견하신 어머님의 눈이 휘둥그레지셨다.

"맞아! 내가 산 게 맞았어! 내 상상이 아니었어!"

아이고 어머님, 저 웃다 죽어요…

어머님은 오늘도 웃음 폭탄을 시원하게 날려주셨다.

"자, 우리 거실에서 만들자!"

소파에 벌써 자리를 잡으신 어머님은 키 작은 철제테이블을 두 무릎 위에 꼭 끼우셨다. 웬만하면 다시는 일어나지 않겠다는 단호한 의지가 느껴졌다.

"자, 너도 빨리 앉아, 일 안 할 거니?"

나를 구박하려고 하셨지만, 나에게는 통하지 않는다.

"어머님은 벌써 앉으셨어요? 피랑 숟가락도 없는데요? 제가 가져다 드릴게요."

나는 어머님 앞에 놓인 접시에 피 한 장을 깔고 소를 한 숟가락 얹어서 넴 만드는 시범을 보여드렸다.

그런 후 어머님께서 제대로 만드시는지 잠시 옆에서 지켜보며 서 있었는데 어머님의 잔소리가 또 한 번 이어졌다.

"너는 언제 만들 거니? 구경만 할 거야?"

하지만 이 며느리는 이제 말대꾸를 따박따박 잘한다.

"저는 뇜 전문가라서 완전 빨리 만들거든요."

어머님 옆에 빈 그릇을 갖다 놓고 완성된 뇜을 담아드린 후 나도 반대편에 자리에 앉아 작업을 시작했다.

아늑한 벽난로와 향긋한 커피 향.

우리는 뇜을 만들고 아버님께서는 옆에 앉아서 커피를 드셨다. 오후의 라디오 소리가 잔잔하게 들리고 고양이들은 꾸벅꾸벅 졸기 시작했다. 평화 그 자체였다. 말썽꾸러기 탈린도 졸고, 수다쟁이 며느리도 입을 다물었다.

"너 진짜 빠르구나!"

"저는 전문가라니까요."

말 한마디 안지는 며느리는 어느새 남은 소를 완전히 소진했다.

어머님께서 이번에는 팬에 기름을 넉넉히 두른 후 뇜을 튀기기 시작하셨다.

온 집안에 퍼지는 맛있는 소리와 고소한 냄새!

"우리 하나 맛볼까요?"

넴 하나를 잘라서 어머님 입에 먼저 넣어드린 후 나도 맛을 보았다. 엄청 맛있다! 아버님께도 한 조각을 들고 가서 입에 넣어 드렸다.

"우리 새우 넣은 것도 맛볼까요?"

"울랄라, 너 이러다 다 먹겠네."

얼른 어머님의 입에 넣어드렸더니 그 맛에 어머님께서 두 눈을 번쩍 뜨셨다.

잠시 후 나는 어머님을 대신해서 튀기는 일을 도맡았고, 어머님께서는 완성된 넴을 용기에 담기 시작하셨다.

"옆집에도 좀 갖다줄 거야. 어제 옆집 남자가 직접 만들었다며 쿠글로프를 가져왔지 뭐니! 사람이 어찌나 좋은지!"

"그 쿠글로프는 어머님이 만드신 거보다 더 낫던가요?"

"그건 아니지!"

단호박 목소리. 아닌 건 아닌 것이다.

"그런데 너무 누아(검은색) 같지 않니?"

내가 너무 오래 튀기는 것 같다는 말씀이었다.

"어머님 그것도 인종차별이에요. 넴조차 블랑(하얀색)을 선호하시는 거요."

"아니야 아니야! 내가 누아 사람들을 얼마나 좋아하는데! 그냥 네가 원하는 대로 튀기거라."

"어머님, 이 정도면 만족하시겠어요? 아시아틱으로 튀겨보았어요."

"완벽하다!"

프랑스어를 못해서 어버버하던 재작년의 그 며느리는 이제 중급 정도의 프랑스어를 구사하게 됨과 동시에 시어머니께 말 한마디를 안 지게 되었다. 이게 모두 다 어머님 덕분입니다.

어머님께서는 두 통에다 넴을 10개씩 담으시더니 두 통 모두 나에게 주셨다. 두 통에 나누어 담아 주신 이유는 자서방이 혼자 다 먹을까 봐, 한 통씩 공평하게 먹게 하기 위함이라고 하셨다.

"같이 만들어 주어서 고맙다."

"일당을 이렇게나 많이 주시는데 제가 더 감사하지요!"

"요용, 넴 만들어줘서 고맙다!"

거실에 계시던 아버님께서도 나에게 고맙다고 소리치셨다.

"제가 만든 거 제가 다 가져가는데요…"

넴 좋아하는 우리 남편 오늘 입 찢어지겠네.

## 크리스마스의 기적!

이제는 다 가지셨다는 어머님.

2022년 12월 8일

어학당에서 단체로 알자스 당일 여행을 떠나게 되었다.

우리가 탄 버스는 콜마르에 도착하기 전에, 획비흐(Riquewihr)라는 작은 마을에 잠시 들렀다.

이곳 크리스마스 마켓에서 유리 장식을 파는 가게를 보니 시어머니가 떠올라 장식 몇 개를 구입했다. 시어머니께서 분명 마음에 들어 하실 것 같았다.

그런데 어머님의 선물을 사고 나오는데 자서방으로부터 메시지가 왔다.

[모웬 찾았대. 동물병원에서 칩을 보고 연락을 줘서 지금 엄마 아빠가 가서 데리고 오셨대.]

아… 이때의 기분이란…!

온몸에 소름이 돋고 눈물까지 핑 돌았다.

이토록 아름다운 크리스마스 마을에서 시어머니의 선물을 사자마자 들려온 기적 같은 소식. 그렇다. 이건 크리스마스의 기적이었다.

시어머니께 바로 전화를 드렸는데 응답이 없으셔서 메시지를 보냈다.

[진짜예요?]

[응, 방금 데려왔어.]

[아… 모웬한테 직접 물어보고 싶은 게 너무 많은데 답답하네요.]

[어떤 남자가 데리고 있었대. 집에 고양이도 6마리나 있고 강아지랑 별별 동물들을 다 키운다고 하더라. 두 달 전에 센트럴 병원 근처에서 모웬을 발견했는데 그때부터 계속 보호하고 있었대. 그때 동물병원에 전화해서, 길에서 데려온 고양이에게 벼룩이 있다고 문의했었다는구나. 동물 병원에서는 당장 데려오라고 했는데 이 남자는 두 달이나 지난 오늘에서야 데려간 거지. 병원 측에서는 모웬의 칩을 확인하자마자 우리한테 연락한 거고….]

[실종된 지 4달이 지났는데 그전 2달은 어떻게 된 걸까요?]

[진실은 아무도 모르지. 나는 그 남자가 하는 말도 못 믿겠어. 보자마자 나는 그 남자한테 왜 두 달이나 걸려서 병원에 데려왔냐고 원망했단다. 그랬더니 자기는 보호하고 있어 준 것뿐이라고 하더라. 건강검진을 해 보니 다행히 큰 이상은 없다는데… 오자마자 토하고 행동도 혼란스러워 보여.]

[이제 집에 돌아왔잖아요. 부모님이 기다리는 집으로요.]

넉 달 동안 얼마나 무서웠을까…

[어머님, 저 알자스에서 뭐 좀 사다 드릴까요?]

[아니. 난 이제 다 가졌어.]

어찌나 가슴 뭉클한 표현인지….

그날 저녁 나는 낭시에 도착하자마자 피곤도 잊은 채 시댁으로 달려갔다. 어머님께서 문을 열어 주셨는데 내가 별 인사 없이 발을 동동 구르며 두 주먹을 흔들며 웃었더니 어머님도 똑같이 따라 하시며 기쁨을 표현하셨다.

[어디에 있어요?]

주어는 필요가 없었다.

[위층에 올라갔어.]

위층에 살금살금 올라가 봤는데… 모웬 여기 없는데요?

시부모님과 나는 손에 간식이나 장난감을 들고 침대 밑 소파 밑을 샅샅이 뒤졌다. 설마 모웬이 돌아온 게 꿈은 아니었겠지?

[조금 전에 이웃에서 모웬을 보러 왔었는데 혹시 그때 밖으로 나간 건 아닐까…?]

다행히 아버님께서 위층에서 큰소리로 모웬 여깄다! 하고 소리치셨고 나는 3층으로 단숨에 뛰어 올라갔다.

"잉… 모웬 어디 있었어… 나 진짜 보고 싶었잖아…"

여전히 불안해하기는 하지만 나를 알아보고 골골 소리를 내준 걸로 나는 충분했다. 옆에 서서 흐뭇하게 지켜보고 계신 아버님께 내가 훌쩍거리며 여쭈었다.

"아버님도 우셨지요?"

"아니"

"진짜요?"

"응 진짜."

오랜만에 보는 아버님의 시원한 웃음에 내 기분이 청량해지는 느낌이었다.

"이제 세 마리네요 하하. 세 마리는 절대 안 된다고 하셨는데 결국 어머님 소원이 이뤄졌어요."

아버님도 그렇다며 함박웃음을 지으셨다.

내가 훌쩍거리며 거실로 내려왔더니 어머님께서 "나도 오늘 낮에 그랬어."라고 말씀하시며 후련하게 웃으셨다.

"저는 모웬이 다시 돌아올 거라고 항상 믿었다니까요! 최고의 크리스마스예요."

"맞아! 최고의 크리스마스 선물이지."

시댁을 나오는데 운동에서 돌아오던 옆집 남자가 나를 보더니 반갑게 인사를 건네왔다.

"축하해요. 모웬이 돌아왔다는 소식을 듣자마자 저도 당장 가서 보고 왔어요. 두 분 마음고생 많으셨는데 이제 행복해하셔서 저도 기분이 좋더라고요."

"크리스마스 기적인가 봐요!"

"정말 그래요. 기적 같은 일이에요."

함께 기뻐해 주는 다정한 이웃들 덕분에 행복감도 배가 되었다.

역시 신은 우리 가족을 사랑하시는구나.

앞으로도 우리는 고양이들과 시부모님과 오래오래 행복할 수 있을 것만 같다.

# 추천사

설레며 아침을 기다리게 하는 다양한 에피소드, 친근한 문체, 가식 없는 솔직함, 밝고 따뜻한 성품, 이 시대의 진정한 휴머니스트, 온건한 생태주의자, 푸드 칼럼니스트이자 요리 연구가, 단번에 상대를 사로잡는 매력의 소유자, 풍성한 유년의 추억, 고국에 대한 그리움, 유쾌한 시어머니와 섬세한 아버님과의 케미, 국적과 나이를 뛰어넘는 우정, 시냥이 삼남매의 보스, 껌딱지 무스카델의 영원한 일빠, 예민한 사랑꾼 자서방 님의 능숙한 조련사... -ahah7752

낭시댁님의 글은 저의 끝을 모르는 갱년기 표적치료제이자 삶의 의미를 일깨워 주는 최고의 교과서랍니다. 상실감으로 점점 도배되어 가는 저에게 '총 맞은 것처럼' 이거 실화냐? 하고 새벽 3시까지 기다려지게 만든 프랑스 시부모님들의 이야기. 젊은 분들께는 앞으로의 진로 결정에 용기와 개척심을, 각자의 여러 가지 이유로 삶의 의미를 잃어가는 분들께는 자신감과 함께 더불어 잘 살아갈 수 있는 삶의 태도를 일깨워 줄 수 있는 감동과 즐거움으로 가득한 보석이지요. 입학, 졸업, 입사, 결혼, 출산, 은퇴 등의 선물로 낭시댁님의 이야기를 적극 권하고 싶습니다.-에투왈

저는 40대 후반의 아이 둘 키우며 직장 다니는 아줌마 이구요. 아침에 눈뜨면 낭시댁 블로그부터 보는 루틴을 오래전부터 가지고 있는 광팬입니다. 마음이 따듯한 시어른들에게 감사하며, 주어진 환경에서 바지런하게 이것저것 이루어 내시는 모습에 저도 늘 제 자리를 돌아보고 힘을 내며 하루를 시작합니다. 고등학생

인 딸이 제2외국어로 프랑스어 수업을 듣고 있는데, 후에 엄마랑 낭시 여행가자!!! 라고 해 두기도 했답니다. -세승맘

처음엔 해외 생활에 대한 동경이 시작이었고요. 그 뒤로는 어떤 날은 부럽고, 어떤 날은 쓸쓸했다가, 또 어떤 날은 감동을 줬다가, 웃겼다가 울렸다가 하는 일들이 곳곳에. 한마디로 말하자면, 먼 곳에 사는 친구가 나에게 보낸 편지를 읽는 느낌이라고나 할까요? -홍이난다

내 하루 일과처럼 푹 빠져 읽던 글들이 책으로 나온다니 전 정말 행복하답니다!! 글을 읽으면 영화처럼 모든 글들이 소리로 들리곤 하지요. -선주 하

요용님~ 당신의 도전과 용기가 누군가에겐 응원과 격려가 됩니다. 당신의 글들로 인해서 편견과 무지를 하나씩 제거하는 중입니다. -쉬땅

태국 계실 때부터 왕찐팬입니다! 시어머니처럼 멋진 사람으로 나이들고 싶어요! 계속 쭉 항상 응원합니다! -니_키

이런 따뜻한 이야기들은 모두가 공유하는 것이 마땅합니다. 책 출판을 축하드립니다. -Kilkb

모든 글들이 너무 따뜻한 햇살 같습니다. 전라도 전주에서 응원합니다! -임실초록하늘

하루에 일기처럼 읽기 시작해서 웃고 울고 해서 ㅎㅎㅎ 요용님은 뭘 해도 행복을 주는 분이에요. 늘 멀리 부산에서 응원합니다. -milpoll

# 프랑스 시어머니와 베프로 지냅니다

따스하고 유쾌한 시집살이 에세이

발행일 | 2023년 12월 08일

지은이 | 요용
펴낸이 | 마형민
기　획 | 신건희
편　집 | 최진솔
펴낸곳 | (주)페스트북
주　소 | 경기도 안양시 안양판교로 20
홈페이지 | festbook.co.kr



ISBN 979-11-6929-428-7 03810
값 15,500원

* (주)페스트북은 '작가중심주의'를 고수합니다. 누구나 인생의 새로운 챕터를 쓰도록 돕습니다. Creative@festbook.co.kr로 자신만의 목소리를 보내주세요.